OTTO BAUER
DAS WELTBILD DES KAPITALISMUS

資本主義の世界像

オットー・バウアー
青山孝徳 訳

成文社

資本主義の世界像——目次

凡例

一、本書は Otto Bauer, Das Weltbild des Kapitalismus, in: O. Jenssen (Hrsg.), Der lebendige Marxismus. Festgabe zum 70. Geburtstag von Karl Kautsky, Jena 1924 (pp. 407~464) を訳したものである。

二、訳書タイトルは「資本主義の世界像」とした。

三、テキストのイタリック体は、訳文ではボールド体にした。

四、本分中の鉤括弧［ ］は、訳者による補注である。

五、原注は通しの番号で表示し、本文末に置いている。

六、原文に人名索引はないが、本書では読者の便宜のため、あいうえお順の人名索引を付した。

七、カバーのバウアーの写真は、グログニッツにあるカール・レンナー博物館 Dr. Karl Renner Museum für Zeitgeschichte Gloggnitz から提供を受けた。ここに記して深く感謝申上げる。

序論として

水田洋

この小論の筆者、オットー・バウアー（一八八一〜一九三八）はオーストリア社会民主党の政治家として、第一次世界大戦後の国家再編成にあたっては短期間ながら外相を務めたが、その後は党内左派の指導者として、両インターナショナル（第三と第二）の統合を企て、オーストロ・マルクス主義の政治的理論的代表者としての名声を確立した。オーストロ・ファシズムに対しては、武装蜂起を組織して敗れ、亡命して活動を続けたが、パリで客死した。

こういう経歴をもつことになるバウアーは、はやくヴィーンの高校時代にマルクス主義の影響を受け、大学では左翼学生グループと社会民主党の活動的メンバーであった。一九一四年夏に第一次世界大戦が始まると、彼は火元のオーストロ・ハンガリー国民として参戦する。社会主義者の国際的反戦運動のなかでの参戦だから、党内では論争があっただろう。論争がどうであれ、バウアーは参戦して帝政ロシア軍の捕虜となり、シベリアの捕虜収容所で暇つぶしにこの論文を書いたのである。

将校だから労役はなく、時間はあったとしても、身近に図書館があるわけではなかったろう。そういう孤立無援の状態でバウアーは、中世スコラ神学のノミナリズム論争のなかに、近代思想の基調としての自由主義、個人主義の源流をつきとめ、マニュファクチャー時代の機械論哲学をのりこえたブルジョア唯物論が、マルクス主義歴史観によって克服されるというところで、論文を終わっている。唯物史観はまだ彼らの用語となっていなかったようだが、認識論で新カント派とマッハを援用しようとしたのは、オーストロ・マルクス主義の特徴であり、青年ヘーゲル派にならって青年マルクス派というものが、形成されていたかと思わせる。しかし驚いたのはそのことよりも、スコラ以来の思想史諸流の抑え方である。

バウアーはこの論文をカウツキーの七〇歳記念論文集に献じ、ボルケナウは『封建的世界像から市民的世界像へ』の序文で、この論文を先駆的文献としてあげた。一九四五〜六年、ぼくも捕虜収容所で、ボルケナウの翻訳を考えていた。

資本主義の世界像

ここに発表する研究は、私が一九一六年、モンゴルとの国境に近いシベリア・トロイズコサウスクの捕虜収容所で書いた大きな著作の一部である。

私は収容所でわずかの書籍しか利用できなかった。このため、書き進めるにあたり自分の記憶だけが頼りだった。したがって、ここで検討した問題群を、私に先立って取り扱った人々の業績を参照することもかなわなかった。このような本著作の成立経緯に鑑み、ところどころに歴史的事実の誤りが紛れ込んでいるとしても、また、本書で語られたあれこれの考えが、すでに過去の著作家によって論じられていた事実を注記しないことについても、批判的な読者のお赦しを乞う。私は、捕虜収容所から帰還したら作品全体をもう一度読み返し、文献を使って補完・修正したいと考えていた。しかし、そうした時間はこれまで見つけられなかったし、またこれからも望み薄だろう。ただ、望むらくは、成立の経緯からして明らかに不完全な作品でも、同じ分野でより優れた成果を生み出そうとする多くの人々の励みになれば、ということである。そこで、捕虜時代にできた形のまま、変更を加えず世に送り出すことにした。

カール・カウツキー七〇歳の誕生日は、そのために歓迎すべき機会である。私の研究は、マルクス主義の歴史観に新たな検討領域を拓こうとする試みである。したがって、マルクス主義歴史観の師が、七〇歳の誕生日にあたり本作品の献呈を快く受け入れてくれることを願う。師が我々に教えた研究方法が、いかに実り豊かな成果をもたらすかを、ささやかに示すものとして。

社会秩序と世界観

封建社会秩序が解体し、資本主義の社会秩序が発展する歴史の時期にあたり、思想家たちは、封建時代の神学的社会像を徐々に解体して、新しい世界像である近代自然科学の世界像と、この自然科学に基づく哲学体系の世界像をゆっくりと繰り広げていった。

思想史的には、こうした新たな世界像の成立と展開を二様に示すことができる。一、思想家は誰でも、先行者の思考を完成させ、新しい領域に適用する。また、欠落を埋め、含まれる矛盾を解消しようとする。さらには、はらまれた問題を解決しようとする。こうして諸思考は、一つの内的発展、つまり、内にはらまれた内在的な諸法則にしたがう発展を辿る。この発展を記述するとしたら、内在的な思想史となろう。現代の自然科学の分野でこうした内在的思想史を挙げるとすれば、マッハの力学の歴史がある。

二、経済生活、社会的諸関係、国家、法が変わるとすれば、人間の思考法も変わる。生存の諸条件が変化するにつれて、人間は新しいさまざまの思考に感応し、それらを受け入れる。こうしたことが起こるところでは、思考体系の内在的な発展が打ち破られる。打ち破るものは、超越的な諸影響の働きかけである。つまり、こうした思考体系の外に生じ、外部から思考体系の発展に働きかけるさまざまな影響である。存在の社会的諸条件が資本主義の発展により変化することが、自然科学的・哲学的世界像をどのように変容させたかを示そうとすれば、我々は超越的な思想史を書くことになる。

ここで私が試みるのは、ただこの思想史である。資本主義という歴史区分における自然科学的・哲学的世界像の超越的思想史を素描しようとするもので、この時代の世界像の内在的発展を同時に描こうとするものではない。したがって、私の記述が一面的であることは承知しているし、また意図したものでもある。

さて、こうした超越的思想史の課題と目的は何であろうか。

ゲーテは言う。「人は誰でも、その人のやり方で考えるしかない。なぜなら、人は歩みながらいつも、真なるもの、あるいは生きていくうえで自分を助けてくれる、ある種の真なるものを見出すからである・・・。我々の思うことは、我々の生存を補うものにすぎない。人がどのように考えるかにより、その人に欠けているものをみることができる」。我々の諸思考を、我々の存在の相補的なものとして描くこと、我々の諸思考の発展を、我々の存在の諸変化として記述すること、我々の諸思考の発展を、我々の存在の諸変化から把握すること、これこそが、マルクス主義の歴史観における超越的思想史の課題である。どのような手段をもって超越的思想史は、この課題を解決しうるのか。ゲーテは考える。

内部にもまたひとつの宇宙が存在する。
だから自分の知るもっとも善きものを　だれもが
神と呼び　しかも自分の神と名づける
あまたの民の称《たた》うべきならわしが生ずる、
人々が神に天と地をゆだね　また
神を恐れ　さらには愛するというならわしが。

［田口義弘・訳］

フォイエルバッハによれば、人間は自分の姿に似せて神を創造する。古ザクセン語の「救世主」Heliand であるキリストは、ゲルマン民衆の王であり、使徒はその家臣だった。その後三世紀が経過して、托鉢僧がイタリア諸都市の日雇いと小農民に向かって説いたのは、宿なしで漁夫と収税吏に囲まれたキリストだった。

しかし、神だけでなくこの世もまた、人間は自分の姿に似せて創造する。人間が理解するのは、いつも自分だけである。自分の行為と労働経験に照らして、観察したものをすべて理解しようとする。したがって、生存の諸条件の変化とともに自然の諸表象も変わっていく。現代の資本主義を生起させた生存の諸条件が大きく変動することにより、その作用のもとで［諸表象が］どのように変容したか、これこそ、我々がここで記述しようと考えるものである。観念の変容は、資本主義の生成と発展にしたがって生まれるものであるが、それを認識することは、資本主義の発展そのものを理解する助けにもなろう。「人生は彩られた映像としてだけ摑めるのだ」からである。［ゲーテ『ファウスト』より、相良守峯・訳］

興隆する資本主義の自然観

a　観念論と唯物論

家の表象は、家を建て始める前に大工の頭の中に出来上がっている。家は、大工の意識の中で作業計画として、実際の建築作業に先立ってすでに存在している。この作業計画、つまり、眼前に浮かぶ家の表象は、建築に先立つものであり、家の観念である。作業する者がこの観念に沿って家を建てる建築材料は物質 Materie である。人間労働はすべて、観念に倣った物質の組成、つまり、作業計画にしたがう労働の遂行である。

自分の労働を手本として、人間は世界のすべての事象を想起する。プラトンは、世界の創造者をデミウルゴス（工匠）と名付けた。プラトンはいう。デミウルゴスは、イデーにしたがい、目の前に見出す質料 Materie から世界を形成する、だから諸物は、イデーの似姿である、と。観念論は、人間労働にみられる作業計画と作業遂行の関係、つまり、イデーと質料の関係を世界のすべての出来事に当てはめる。

労働はすべて、人間が体を動かすこと、つまり、体を持ち上げ投げ出し、体を折り曲げ突き出すことである。体を動かすには緊張を要する。我々はそれを、労働に伴う筋肉の感覚をとおして知覚する。知覚された筋肉の緊張は、労働が要求するものであるが、それを力と名付ける。労働の材料、つまり質料は自然によって与えられる。それを増やすこともなくすこともできない。労働は、力を使って材料 Stoffe を動かすことである。

我々は人間労働の遂行に倣って、自然における変容すべてを表象する。何かが生起すれば、そこでは質料を運動させる力が働いたと仮定する。すべての出来事は、様々な力による材料の運動とされる。唯物論は、人間の労働にみられる力と材料の関係を自然の諸事象に当てはめる。

労働によって人間は生活の糧を得る。労働は人間に固有の、自然における一種生存闘争である。自分の労働を範としてのみ、ただ、それに類比してのみ、人間は自然界のすべての出来事を了解することができる。観念論は、出来事を作業計画の実現と考える。唯物論は、これを労働の遂行であり、諸力による材料の運動と考える。観念論は、世界の事象を、労働が遂行すべき作業計画を策定する精神労働に倣って想起する。唯物論は世界を、体を使った労働として、緊張と力を要する材料の運動として考える。

封建時代の世界解釈である古いスコラ学は観念論である。この時代、学問を営むことができたのは聖職者だけだった。働かずして地代を費消し、あらゆる肉体労働から完全に隔離され、ただ精神労働だけを行う階級である。彼らは世界を考えるのに、もっぱら精神労働をモデルにして観念的に行う。意識全体を占めるのは宗教である。彼らの興味を引くのは世界の事象そのものではなく、この事象が神とどう係わるのか、ということであった。世界の事象を、世界の創造者のイデーが実現したもの、作業計画の実現と考えた。これは労働の遂行ではない。したがって、観念論であり、唯物論ではなかった。

資本主義を俟ってはじめて、多数を擁する階級が生まれた。この階級は精神労働を行うが、しかし、それを直接利用する。また肉体労働を行い、それに課題を設けて遂行し、利益を生み出そうとする。生成する資本主義の世界が興味を覚えるのは、もはや作業計画とその遂行との関係にとどまらず、計画の遂行そのものである。作業方法を変革したのは、資本主義の偉業である。こうして人間は、自然事象もまた作業の遂行であり、諸力による材料の運動と考えるようになった。初期資本主義を生んだ大変革と、すべての古い社会的な紐帯を引き裂いて社会全体の姿を変えた激動の革命とは、人間を伝統の拘束から解放するとともに、受け継がれてきた宗教の絶大な力を破壊した。こうした解体は、広範な民衆の生活では宗教表象の変容に現れ（宗教改革）、社会の上流層では、宗教的な関心とならんで、あるいはその関心をさし置いて優勢となった脱宗教の世俗的な関心に示された（ルネッサンス、人文主義）。新類型の人間の興味を引いたのは、世界の創造者の世界事象に対する関係にとどまらず、事象そのものであった。したがって、世界を神の作業計画の実現としてのみ理解することは、もはやできず、作業の遂行として、諸力による材料の運動として理解せざるを得なかった。

資本主義が封建社会から徐々にしか発展しなかったように、封建社会の世界像もまた、ゆっくりと、何世紀も続く発展過程の中でのみ克服された。この発展はすでにスコラ学の内部で、アリストテレスの思考法がプラトンの思考法に打ち勝ったことよって始まっていた。一一世紀、イングランドの封建制は、ノルマンの侵攻によってその完成を見た。この時代、イングランドではプラトン化されたスコラ学（カンタベリーのアンセルムス）が栄えた。一三世紀のイタリアでは都市が栄え、農業が貨幣経済化され、初期資本主義の発展が始まった。同じころ、スコラ学はアリストテレスの体系に基礎を置いた。それは、世界の事象を、目的意識をもって運動する諸力による材料の形成（エンテレケイア、形相）、つまり、形成過程と考える（トマス・アクィナス）。しかし、こうした自然観もまた、いまだ神学に貢献するだけであった。スコラ学は、物体が諸力によって動かされる際の法則を求めない。自然の事象は運動であるが、このことは、すべての運動が最初の起動者を必要とする、という結論に到達するための前提に過ぎない。このように考えることによって神学に寄与する。スコラ学は、作業の遂行は作業計画を前提にする、という結論を得るためにだけ、世界の事象を作業の遂行と見做した。

中世社会の全能の伝統（神）と結びついた知はすべて、諸対象そのものと関係せず、その概念とだけ関わった。それはいつも、受け継いだ概念を解釈するだけだった。法学は伝承の法秩序を解釈するにすぎず、神学は、聖書と教父の解釈に当たった。また生成しつつあった自然科学も、はじめはアリストテレスの自然学を解釈するだけであった。しかし、初期資本主義とともに上昇した人々、激しい革命によって伝統の紐帯から解放され、これまで存在しなかった生存の諸条件のもとにおかれた人々にとって、こうした旧式の知は、もはや満足の行くものではなかった。人々は、もう古い法秩序を解釈しようと思わない。新しい法を、自分たちの必要に応じて定めようとする。神の古い教えを解釈するのでなく、神を自分に似せて創造しようとする。アリストテレスの自然学を信じて丸呑みするのでなく、自然を観察し、自分の精神の力で「世界をその内奥において繋ぎとめるもの」を知ろうとする。新しい人々は、みずからの目で自然を観察し、新しい世界像を創ろうとした（ベーコン）。この新しい世界像は、もはや神学だけに仕えようとするものではない。自然そのものが、神学と無関係に新しい人々の興味を引く。世界の創造者が誰かという問いは神学者に任せ、世界の事象だけを問う。自然の中に神の作業計画の実現を見ることは神学者に委ね、自然の諸事象を労働の遂行に倣って把握することに満足する。こうして神学から解放され、アリストテレスの権威からも解き放たれた自然科学が生まれた。それは、自然の事象を肉体労働に倣って、諸力による材料の運動と考える。

いまや運動の学説である力学が、自然科学全体の基礎となる（ガリレイ）。その基本概念は作用 Arbeit である。力学は、天体運動を一般諸法則で、つまり、諸力による質料の運動すべてに当てはまる法則で説明することに成功するや否や、別言すれば、人間による労働の遂行に倣って、天体運動を作用として理解することに成功するや否や、大勝利を収めた（ケプラー、ニュートン）。力学は、あらゆる自然現象——音と光、熱、電気——を力学の事象 mechanische Vorgänge に還元し、人間労働とのアナロジーで諸力による材料の運動として理解しようとした。

世界はこうして物の本質とその単なる現象とに分裂する。諸物の本質は、物質の運動である。音、光、熱、電気は、我々の感覚の錯覚である。運動によって起きた、感覚器官の知覚である。しかし、こうした諸運動を忠実に反映したものではなく、それは、感覚器官の性状に制約された偽りの反映である。以上が機械論的自然観の基本的な考え方であった。

b　普遍主義と個別主義

封建社会では、個人は伝統によって聖化された、支配と協同の古い紐帯に取り込まれている。封土を媒介とする主従関係と荘園制、辺境・宮廷関係、そして商工業者の同職・同業組合が個人を結びつけている。所属する共同体の法と信仰、慣習に縛られている。何が正しいかを自分で決めることはできず、ただ見出すだけである。何が真実かを認識するのでなく、ただ信ずるのみである。何が当を得たものか判断するのではなく、ただ従うのみである。個人は共同体の中に生れ落ち、生誕から死に至るまで共同体の一員である。共同体は個人に先立って存在し、個人の運命を決める。

こうした社会秩序に倣って、中世の人々は世界秩序を思い描いた。そうした社会的存在とのアナロジーで実践的・理論的世界像を形成する。アウグスティヌスの体系世界に実践的世界像が窺える。個人は原罪を背負い、キリストの贖罪の死によって救済される。個人は自分の罪により罪深いのではなく、また自分の善行により救われるのでもない。罪と贖罪は、あらかじめ神意とともに恩寵の選びによって決められている、とされる。理論的世界像は古いスコラ学の「実在論」に見出される。実際に存在するものは諸概念、イデア、普遍である。個別のものは諸概念の例に過ぎず、イデアの模写であり、普遍の個別事例に過ぎない。一一世紀の「実在論」には、封建時代の世界観が理解する観念論と普遍主義がもっとも忠実に表現されている。それは世界の事象そのものに興味を覚えるのではなく、事象と世界の創造者との関係だけに関心を寄せたので、世界は神の作業計画の実現と見做され、ものはイデアの模写である、一人ひとりの人間は、生れ落ちた共同体が創りだしたのであり、一つひとつのものは、個別を包含する普遍の概念が造ったものと考えられた。

資本主義の発展とともに、古い社会の紐帯は打ち破られた。個人は拘束から解放される。社会的分業は、諸個人を差異化する。個人は企業者となり、生まれだけによって運命が決められることはもはやなく、自分の能力と労働によって決められる。「各人は自分の運命を彫琢する」。資本主義社会はついに、個人の組織されざる群れに解体される。個人が身分組織によって互いに繋がることはもはやなく、自分の意思により労働の場と職業を選び、自分の行為により運命を彫琢する。個人は互いに競争関係に立ち、お互いを繋ぐものは、「感情の伴わない金銭の支払い」のほか何もない。

世界像もまた変化した。人間が世界について思い浮かべる諸表象においても、個人がますます大きく自律し、自然界の個物はさらに広範な独立性を獲得する。こうした展開は、すでに一三世紀のスコラ学で始まっていた。トマス・アクィナスは、アウグスティヌスの恩寵の選びの説を緩和し、旧来のスコラ学の概念実在論を緩やかなものにした。しかし封建時代の普遍主義を完全に克服したのは、一三世紀・一四世紀にイングランドで成立したフランシスコ会の哲学である。ドゥンス・スコトゥスの主意主義は、アウグスティヌスの事前決定説 Vorbestimmung を葬り去った。自分のせいで罪を負い、善行によって神の恩寵を得る個人は、神から自由となる。[1] 個別の人間が自由になったように、個別のものもまた自立する。名目論が、古い概念実在論に対抗して出現する。世界に存在するものは個別のものである。普遍の概念は、諸個別体から抽象されたものであって、名前に過ぎない。ひとは多くの個別体をその名前のもとにまとめる（オッカム）。英国フランシスコ会の実践的・理論的個別哲学は、直接にイングランドの経験哲学へと転換する。個人が恩寵にあずかるか、あるいは地獄に落ちるかは、神の事前決定によって決まるのではなく、自分の行為によって決まるように、個人は、先行指導者の説を盲目的に信じるのではなく、自分の観察と経験によってのみ世界を認識できる。また普遍なるものはすべて、個別のものをまとめたものだから、認識にたどり着く方法は、帰納、つまり、観察と個別現象の比較のほかにはない（ベーコン）[2]。

かくして世界は、個別のものと個別の現象の集まりに解体された。学問は、多様なものをすべて、それを構成している個別のものに解体し、複雑な諸現象もすべて、成り立ちのもとである単純な個別現象へ分解しようとした。世界を最小の、それ以上分解できない諸個体の諸運動から理解しようとする。このために、デカルトは粒子論を考える。同じ目的でガッサンディは、古代哲学から原子論を発掘する。機械論的自然観は、自然現象をすべて原子の運動として示そうとした。

資本主義は、経済生活を命令と規約、慣習法で整えていた古き紐帯を解体した。資本主義はまた、社会をばらばらの個人の集合体に解体し、その一人ひとりは、ただ自分の利益を追うのみである。個人が相互に接点を持つのは、ただ、共同の目的を追求するために手を携えるか、さもなければ、他人と競争場裏に闘う場合だけである。このような社会秩序に倣って、人は世界像を形成した。また個人に似せて原子を考え出した。個人と原子は、語の本来の意味から同じものを指す。個人は、ラテン語では原子をいい、ギリシア語では不可分のものを意味する。社会が、自分を主人とする諸個人に分裂したとき、人は自然を独立の諸原子に解体して考えた。また、社会の連携が、諸個人相互の協同とならんで相互に対立する競争に変容したとき、世界の出来事はすべて、諸原子の引き合いと反発に還元できると考えた。機械論的・原子論的自然観は、資本主義に似せて世界を創る。

C　目的論と因果論

封建時代の社会秩序では、経済生活は計画に則って目的を意識しながら営まれた。家長は労働とその成果を一家の成員に分配する。荘司 Marktaiding は、耕地を割り当て入会地の利用を差配する。荘園領主は農民に対して、諸侯は領主に対して権利・義務を分与する。

封建時代の人々は、自分たちの社会をモデルにして現世の統治 Regierung を考えた。この世の事象は計画的に、目的を意識して統御されていると想定する。神は自然の出来事を、目的意識的に自己の意志に則って司る。王が封臣を農民の上に位置づけ、封建領主が賦役領地に家令を配して農民の労働を采配し、また裁くように、神は世界統治のそれぞれの領分を聖人に移譲し、後者はまた神の意志にそって自然の事象を司る。世界の出来事はすべて、計画的に目的意識的に働きかける意志が導く。

個人資本主義は、社会の労働を統率できる機関を持っていない。個々人に嗜好の赴くままに経済活動を行うことを委ねている。利己心のみに導かれて、指揮にも統御にも服さない個人の行為を通じて、社会の必要が満たされる。個人資本主義が採用する方法は無秩序である。労働とその収穫物を個々人に配分したり、生産力を高めたり、また生産装置の拡大を人口の増加に合わせるのに利用するのは、「諸力の自由ないたずら」である。

個人資本主義を通じて思考を形成した人間は、経済活動の無秩序を自然にも投影する。世界の事象についても、計画にもとづいたもの、あるいは目的意識に導かれたものとは考えない。人間社会の個々人の上には、もはや荘園領主・諸侯・荘司も同業組合も存在しない。一人ひとりは、それぞれの目的にしたがって進み、経済の事象はすべて、一人ひとりの独立の行動から生ずる。個人は、それぞれの目的にそって共同の労働に集い、あるいは相互に競争する。同じように、諸原子の上には、その原子を導く神はもはや存在しない。原子はそれぞれ、自己の個別の、内面に備わる力だけによって動く。そして自然の事象はすべて、原子の独立した運動に発する。この原子は、内在する力に応じて相互に働きかけ、また引き合い反発もする。経済の事象がもはや、経済人の上に君臨する権威によって目的意識的に導かれないように、世界の事象もまた、世界を超越し目的を自覚して行動する意志が、目的意識的に導くとは、もはや考えられない。封建世界の人間は、世界を超越して存在し目的意識的に行動する意志が、世界を生み出したと考えた。資本主義世界の人間は世界を、競争する諸個人の力が生み出すものと考える。こうして目的論的世界観に代わって因果論の世界観が出現する。

人はすべての事象を、ただ自己の労働から類推して理解することができる。労働は目的を意識した活動である。経済生活において、消費が生産に適合させられたり、各種生産物の需要構造に合わせて働く者が各労働分野に配分されたり、さらには生産装置の拡大が人口増加に適合させられることを経験するとき、我々はこうした適合を、まずは目的意識的な行動から推しはかる。つまり、社会が消費を生産に合わせ、労働配分を需要構造に適合させ、資本蓄積を人口増加に適応させる、という言い方をする。我々は、社会があたかも理性を備えた、目的意識的な行動をする存在であるかのごとくに語る。

しかし、実際には、資本主義という発展段階にある社会は、そのような存在ではない。適合がまるで社会の目的意識的な活動であるかのように考えられる場合も、実際には、市場で活動する個別の諸力のもたらす結果であり、それぞれの力は、個別の目的を追求するに過ぎない。

社会全体の活動とはまったく趣を異にする。我々は、経済活動の経験から類推して世界の出来事を想定する。自然に目を向ければ、まず我々は驚く。

まあどうだ、すべての物が集まって渾一体を織り成し、
物が他の物の中で作用をしたり活力を得たりしている。

［ゲーテ『ファウスト』より、相良守峯・訳］

我々が驚きを覚える自然秩序もまた、目的を意識した神の活動とか、人格化された自然の活動の成果と、さしあたり考えられる。しかしやがて、かつては目的に沿った秩序ある活動の成果と見えていたものも、資本主義の経験に倣って、個々の諸力が合わさった結果と想定するようになる。資本主義の競争体制のはらむ無秩序 Anarchie を手本にして、我々は自然を機械装置 Mechanismus と考える。

神学的・目的論的自然理解が克服され、機械論的・因果論的自然観に代わるのは、何世紀も続く発展過程の結果である。一七世紀・一八世紀でもまだ、すぐれた自然科学者の学説といえども、目的論的なもの言いに満ちていて、淘汰されるのに時間を要した。この発展をもっとも

強力に推進したものは、明らかに伝来の宗教観念との闘争である。封建制との闘いのなかで、上昇する市民階級は、教会という、封建世界における最強の支配組織で、もっとも強力な精神的権力とぶつかった。魂を支配する教会の力を揺るがそうとして、あらゆる宗教観念から解放された世界像を創ろうとしたのである。そのために試みられたのは、あらゆる神学が最後の拠り所とした目的論から自己の世界像を解き放つことであった。封建体制の克服が全面的になるにつれ、目的論的要素もまた自然科学からすっかり排除されていった。そして資本主義の勝利が確かなものになるにつれ、自然もまた資本主義の無秩序に倣って機械装置と考えられるようになった。

機械論的に自然を理解するにあたり、最大の困難をもたらしたものは生物であった。一つ一つの器官が相互に依存していることは、我々の認識能力を前提にすると、器官の内在的合目的性を仮定してこそ理解できる。ダーウィンによってはじめて、生物の世界でも機械論的な自然了解が可能となる。ダーウィンが行ったことは、器官の合目的的な形成も、無秩序に働く個々の力の成果であることを我々に理解させることであった。そして機械論的自然観が最後に偉大な勝利を収めたとき、その始原がもっとも顕わになった。ダーウィンは、自分が生物の生存闘争のイメージを、マルサスの描く人間の競争にならって形成したことを認めた！　歴史的に見て、まさにここで機械論的自然観が資本主義に依存していることが特にはっきりする。社会において社会的な作用が、無秩序に活動する個々の力の作り出すものとすれば、自然において、かつては自然の目的または神の目的意識的活動の成果と思われていたものすべてが、統御されることなく作用する個々の力の結果と理解される。機械論 Mechanismus は、自由競争の無秩序の方法が経済から自然に転用されたものである。

d 質と量

封建社会は、自給のための財生産にその基礎を置いていた。封建領主の富をなすものは、何がしかの広さ（ヨッホ）の土地、一定数の農民による賦役・年貢・税、そして穀物（計量単位シェッフェル）、亜麻（重量単位のツェントナー）というようなものだった。領主は、富をなす一つひとつのものを足し算できない。というのは、多様な物資とか請求権を測るものさし、富全体の大きさを計測する尺度を持たなかったからである。財の世界は、質的に様々なものから成り立ち、共通の尺度によって測ることができなかった。

資本主義社会の基礎は商品生産である。仕立屋は衣服を作る。自分で着るためではなく、売るために。衣服は、交換して入手できる貨幣の量と同じと考える。商品生産者にとって、どんな商品も一定の貨幣量を表すものに過ぎない。一定量の社会労働が対象化されたものにすぎず、社会労働の産物は商品と交換することができる。資本主義の富がどれほど多様な財と請求権からなろうとも、一つの数字で表現できる。それというのも、あらゆる財は、一定の金額、一定の社会労働量と同等と見做されるからである。経済生活は貨幣という計測単位を見出し、経済理論は社会労働という単位を見つけた。その単位は、すべての財を測り、相互に比べ、足し算することを可能とするものである。質的に異なる財も資本主義世界では、貨幣という同一物の異なる量として立ち現れるだけである。また、量だけが異なる同質の社会労働として、質的には同じ実体の様々な量として現象する。

封建社会の富は、質的に異なる財と請求権の体系である。一方、資本主義社会の富は、価格あるいは価値の総体であり、純然たる量である。この経済的変化は、世界像の変容にも影響を及ぼした。アリストテレス的・スコラ学的自然学は、質的に異なるものからなる体系の世界だった。これに対し、機械論的自然観は、世界を量、力、エネルギーの総和ととらえた。

機械論的自然観は、すべての出来事を質量の運動に還元する。つまり、物体の質的差異は消えて、物体は単に質量に過ぎず、質量は、同じ力が物体に与えられて生ずる加速度で測られる。これと同じく、様々な自然事象、たとえば熱、光、電気というような我々の感覚からすれば大きく異なった事象の質的な異同も消滅して、すべてはエネルギー量にすぎず、エネルギーに共通する単位で測られ、力学的仕事量に換算される。すでにガリレイは予告していた。自然科学者は、物体のもつ数学的に理解可能な特性だけに注意を払うだろうと。完成された機械論的自然観では、質的な異同はすべて単なる量に還元される、質的な特性は、ただ現象界のことであり、本質は質的には同一の実体の量であると考えられた。

資本主義は、人間に計測することを教えた。生産物の質が、商品生産者の興味を引くことはない。市場の需要に応じて供給するだけである。生産者が興味を抱くのはただ量――市場価格、費用価格、資本と利潤――だけである。資本主義社会ではじめて、人間は学ばねばならなかった。すべての財を市場価格に、労働を費用価格に、自分の労働の成果をすべて利潤の大きさに換算することである。これによってはじめて、質的に異なる個別性を、単なる量に帰する自然観が受け入れられるようになった。

計測し計算することのできるものだけが意味を持つ。すべての出来事は運動と考えられるので、配慮されるのは、触覚によって認知される物体の特性と、計量できる重さだけである。ゲーテ自身は機械論的自然観に繰り返し反対していたけれども、正しくこの自然観を記している。

お言葉によって、学者でいらっしゃることが分かりました。
ご自分で手にさわらぬものは何マイルも遠方にある。
ご自分で摑まぬものは全く存在せぬものである。
ご自分で数えてみぬものは真実でないとお考えであり、
ご自分で目方を計らぬものは重量のないものであり、

ゲーテは、さらに続けてこうした自然観の大もとを示す。

ご自分で鋳造せぬお金は通用しないものとお考えになるのでしょう。

［ゲーテ『ファウスト』より、相良守峯・訳］

資本主義の全本質、つまり、財は貨幣価値に過ぎず、人間の労働力そのものが商品であり、生きる目的と成果物が、ある者には利得であり、他の者には賃金に過ぎないという本質は、あらゆる質的な特性を単なる量に帰する自然観に反映されている。

資本主義による労働様式と労働手段の大転換が、将来のあらゆる社会体制にとって遺産となって残るように、資本主義時代の自然科学がもたらした大きな成果は、将来の人々にとっても失われることはないだろう。しかしながら、人間精神の成し遂げた偉大な業績に驚くことはあっても、それが歴史的に制約されたものであることを見逃がすわけにはいかない。一六世紀から一九世紀までのすぐれた自然科学者の業績から、間違いなく多くのものが、人類にとって末永く財産として残るだろう。しかし、それは時代の子でもあり、その世界像は、時代の特性を背負ったものである。この特性は新しい世代には、もはやふさわしくないかもしれない。それは勃興する資本主義の世界像であり、自己の経済秩序を例に自然の秩序を考えたものだったのである。

興隆する資本主義の哲学

a　教理の諸体系

近代の哲学は機械論的自然観から出発する。ここから物質 Materie 概念を取り出し、物的な現象を、この自然観にしたがって、数学的に記述できる運動過程として理解する。しかし、近代哲学も初めは、物的な出来事とは経験的に異なる、精神的な事象を運動過程に還元することはあえてしなかった。精神は、物質に対して独立の実体とされた。物質という観念が、機械論的自然観から借り受けたものであるのに対し、精神という観念は、古代の神話から発展してキリスト教に受け継がれ、スコラ学が教条化したままに固定された。物質は不変で量も変わらず、ただ、労働だけが物質の姿を変えうる。一方、精神は不死と考えられた。こうして不変の物質と不死の精神が、実体という概念のもとに統一される。二つの実体に対して神という概念が登場する。しかし、神概念は、中世の世界観からそのまま引き継がれたのではなく、本質的な変容を遂げている。

古い自然のままの部族組織の法は、社会的共存の必要から徐々に生まれた。それは制定法ではなく、慣習法であり、何世紀にもわたって変わることなく存続して、急に変更されることもなくゆっくりと発展し、その古さゆえに尊いものとされた。人間は部族の法秩序のもとに生まれ落ち、それを当たり前のものとして、起源を問いただすことはなかった。しかし突然、平和に暮らす農耕部族の地域に異質の遊牧の民が侵入してくる。農民を征服し、武装解除し、土地を奪い、新しい支配者のために賦役を強いる。ここに新しい法が生まれる。それは征服王の力による命令であり、征服から生まれ、武力によって保持されるものである。古い部族法は、王の法によって犯された。征服された農民にとって、自分たちの古い伝統的な部族法は、共存のための自明で自然の規律と思われ、その起源を問うことはなかった。一方、新しい王の法は、力をもった支配者の命令である。力による命令は、社会の自然の秩序を破壊する。たとえばアングロサクソンの農民は、征服されて六〇〇年が経過した一七世紀になっても、ノルマンの法をそのように批判した。

人々は、古来、自然現象の規則的な移り変わりを観察していた。この規則性を、自然の法秩序と考えた。しかし、規則性の根源を尋ねることはなく、それは古い部族法の起源を問わないことと同じであった。原因を尋ねることになったのは、ヒュームの考えたように、習慣によるものではなく、当たり前の自然の推移が攪乱されて驚愕を覚えたからである（ヴント）。昼と夜、夏と冬、満月と新月が交代する理由を問うことはなかった。ただ、雷光と雷鳴、日蝕と月蝕、悪疫と洪水で脅かされたときにはじめて、自然現象の見慣れた移り変わりを乱す原因を問うた。人々は、慣れきった自然秩序を攪乱することができる強力な存在を考え出した。ちょうど征服王が部族の慣習法を犯すことができたように。そのような存在は、封建時代より前の民にとっては神々であり、封建時代には「キリスト教の」神であった。神は趣向のままに太陽と月に停止を命じ、死者をよみがえらせ、萎えた者を歩ませ、盲の者の眼を開いた。それは自然現象に日常の運行を命ずる法の制定者ではなく、このありふれた推移を攪乱することができて奇跡を起こす者だった。ちょうど封建時代の王が、民の慣習法の生みの親ではなく、命令によって民の法を破る強力な支配者だったようなものである。

封建共同体が解体され、絶対主義の中央集権化された、貨幣経済に基礎を置く国家が取って代った。封建時代の法の二重性、つまり、それぞれの身分と地方に根ざす慣習法に王の制定法が対抗する状態は克服される。絶対主義国家では、君主の支配力がすべての法の根源である。法はすべて王の法であり、制定された法、つまり法律だった。この法は、絶対主義国家のすべての臣民を拘束する。法の制定者自身が、自分の定めた法律に、自分で変更を加えない限り拘束される。

この新しい法秩序を範として、人々は自然の秩序を考えた。新しい自然科学は、自然現象の規則正しい運行を観察する。運行の諸規則は自然法則 Naturgesetze と名付けられた。この言葉が、考えの由来を示している。人々は、国家の法律になぞらえて自然の諸法を考える。国王が国家の法律を発布するように、自然の諸法は神が発するものである。新しい神は、もはや奇跡を行う神として、太陽と月に好みのままに静止を命ずるのではなく、法の制定者として、自然に諸法を与え、天体はそれにしたがって運動する。この新しい神概念が、機械論的自然観から借り受けた物質概念ならびにキリスト教から借用した精神概念と一つになって、近代の哲学が生まれた。

その創始者はデカルトである。デカルトは自然を全く機械論的に考える。現実はただ、数学的に記述しうる物質の特性である延長と運動だけである。自然の事象はすべて、物質の最小部分の運動に帰せられねばならない。こうして、どのような目的論的自然解釈も避けることができる。しかし、物質に対して、精神を自立した存在として対置する。神は、立法者として両者に対し、則るべき諸法則を提示する。物質概念では、デカルトは資本主義時代の子供である。神の概念では、絶対主義国家の時代の子供、つまり、新興資本主義が身に着けた最初の国家形態の子であることは明らかである。デカルトはリシュリューと同時代人であった！

デカルトは絶対君主制になぞらえて世界を描いた。一方、オランダ共和国では別の神概念が生まれた。法律のもとにおかれた民は、共和国では立法者でもある。これを自然に適用する。自然の諸法のもとにおかれた世界は、同時に立法する神である。君主制の理神論に対して共和制の汎神論が立ち現れる。それを最初に唱えたスピノザは、イングランド・コモンウェルス［イングランド共和国］の同時代人である！　スピノザにとって自然と精神は、一つの実体の存在様式である。物質的事象と精神的事象は、一つの実体の二つの側面である。その実体は、神であるとともに世界であり、立法者であるとともに臣民である。二つの属性は、同一の因果律にしたがい、数学的方法（幾何学的方法 more geometrico）によってのみ記述することができる。[3]

こうして近代哲学の最初期の体系は、機械論的自然観と、キリスト教から借りた精神概念、神概念とを調和させようとした。しかし、資本主義が力強く発展するにつれて、機械論的自然観がますます他を押しのけて思想を支配した。そしてついに精神とか神という伝統的な観念と妥協を重ねることを止めてしまった。デカルト哲学、スピノザ哲学に続くのは一元論的唯物論である。今や精神現象は機械論的に解釈され、脳の諸機能として、脳の諸部分の運動として考えられる。かくして神は消滅した。資本主義競争の諸法則は、社会労働と社会的労働収益を分配するが、それを定める者がいないように、自然諸法則もまた、もはやその立法者を必要としない。物質 Materie が唯一の実体であり、運動する物質の他に何も存在しない。唯物論は、自由競争体制の由緒正しい哲学である。そこでは、資本主義に倣って世界を構想する機械論的自然観の知識がすべて動員された。唯物論は、封建時代から継承された古いものの見方と妥協することを一切拒否する。

資本主義が十全に発展したイングランドで最初に、唯物論も生まれた。最初の提唱者はホッブズである。個人資本主義の子供であることを、ホッブズはその国家論で示す。そこでは国家は、諸個人間で結ばれる社会契約から導かれる。ホッブズはまた、その唯物論哲学でも個人資本主義の子である。しかし、広範な大衆を運動に巻き込んだ市民革命は、ホッブズを驚愕させた。彼は革命によって揺さぶられた秩序の擁護者として、制約されない国家権力を資本主義発展の第一の前提と見做す。こうしてホッブズは、個人主義的な社会契約説に依拠して絶対主義の正当化を行う。したがって、唯物論的世界観に妨げられることなく、国家の要請に適合した宗教を、国家による支配手段として保持しようとする。ホッブズは言う。「信仰とは、国家が信ずるように命ずるものであり、迷信とは、国家が信ずることを禁じるものである」。革命的な市民が、絶対主義との闘いをキリスト教の旗の下で行ったイングランドでは、唯物論は絶対主義の同盟者として立ち現れる。これに対し、カトリックが絶対主義の支柱となったフランスではじめて、唯物論は革命的市民の思想となる（ラ・メトリ、エルヴェシウス、ディドロ、ドルバック）。

唯物論が初めてフランスで関心を集めたのは、ちょうど市民が、資本主義の発展を妨げるすべてのものを粉砕する革命を準備しているときだった。ただ、市民革命の嵐は、思考をすべて国家に集中させ、無秩序の anarchisch 唯物論には好意の眼を向けなかった。しかし、市民革命が終息した一八四八年以降、個人資本主義が全面的に勝利し、唯物論は民衆の信仰にまでなった。唯物論は、政治的自由主義とマンチェスター学派流自由貿易主義、ならびに自由貿易を標榜する俗流経済学と結合して、自由主義的ブルジョアジーの世界観となる。

b　批判哲学

個人主義から経験主義が生まれた。個人が国家と教会という権威の拘束から解放されると、個人は、伝統的な概念を用いて世界観を形成するのではなく、自己の経験を用いるようになる。社会が自律した諸個人に解体されると、人々は、世界もまた独立した個物の総和であると考えた。認識に導くものは、個々人が個々のものを観察し比較するほかにはない。すなわち、帰納法である。すでにドゥンス・スコトゥスの主意主義とオッカムの唯名論から、どのようにベーコンの経験哲学が生まれたかを示した。

近代の自然科学が発展し始めるにあたって帰納法が要請されたが、さらに別のことが必要であった。それは自然現象を質量の運動 Massenbewegungen に還元し、物体をすべて原子に、質をすべて量に還元することであった。この要請に押されて、ガリレイ以来、自然科学が生まれたが、それはベーコンの完全な経験主義に一致するものではなかった。

経験によって諸物体、つまり、緑色や褐色、高音・低音、甘い・酸っぱい、芳香と悪臭の物体が示される。しかし、機械論的自然観による諸物体では、延長、不可入、質量、運動以外の特性は問題にならない。それは色も音もなく、かおりも味もない。理論的に想定される世界は、経験の世界とは異なっている。

質をすべて量に還元する自然科学は、数学を道具として利用する。機械論的自然観とともに数学が発展する。数学は、我々が論拠なく納得する公理から、推論により認識を導き出す。その方法は帰納法ではない。あらゆる認識を経験から導こうという経験主義と並んで、認識を悟性から、つまり、直接理解できる公理から、推論を通して得ることができると考える合理主義が登場する。

いまや自然観察と数学、帰納法と演繹法、経験主義と合理主義、ベーコンとガリレイが対抗する。

経験主義は、個人主義から、つまり、資本主義が社会を自律の諸個人へ解体したところから出発する。質の量への還元は、貨幣経済を理論的に映し出した像である。数学的手法の出発点は、資本主義が諸個人の社会的関係を、商品交換、売買、財の商品への転換によって媒介することである。帰納的経験主義と数学的合理主義との理論的矛盾は、資本主義に固有の矛盾を理論的に反映したものである。それは、資本主義が個人に付与した法的な自律と諸個人の経済的相互依存との矛盾である。相互依存は、社会の労働分配によって生じ、市場、商品売買そして財の価値量への還元の場で貫徹する。

哲学が当初与したのは、自然観察に対して数学であり、経験主義より合理主義、ベーコンよりもガリレイであった。デカルトは、公理を本有観念と見做す。この本有観念から推論だけで確実な認識を得ることができるとする。我々の感覚経験は誤謬現象であり、感覚器官の特性に規定されている。哲学自身は数学のように、本有観念から類推により、ただ幾何学的に認識を獲得する。

この合理主義に対して、イングランドの個人主義は抵抗する。合理主義は、本有観念を人類が集合的に保持していて、個人が獲得するものではなく、生得的なものとする。デカルトのこうした想定は、しかし、個人の自由に抵触する。個人は、自己の個人的な経験から世界像を形成したいと考え、証明・反駁できない観念に拘束されようとしない。だからこそ、ロックは本有観念を否定した。我々の知識には、感覚器官を通さずに導かれたものは何もない。この点でロックは、ベーコンの経験主義にしたがう。しかし一方、ガリレイ派の数学的自然科学を受け入れる。ロックは、この自然科学が、純粋に経験的・帰納的に獲得されたものであることを示そうとする。そのためロックは、物体の一次的特性と二次的特性とを区分する。我々が自分の感覚器官を通して獲得する物体の一次的特性、つまり、数、延長、形姿、運動だけが、実際に物体に帰属する。物体の二次的特性である音、色、温度、におい、味は、我々の感覚の錯覚にすぎない。感覚はその性質からして、感覚に働きかけるある種の運動事象を、それそのものとしてではなく、音あるいは色、温度、におい、味として再生するのである。したがって、物体の数学的性状は、唯一実在している。数学の公理は、本有観念なぞではなく、物体の実在の大小関係の観察から得られる認識である。機械論的自然観は、実在するものの認識であり、経験によって獲得される。それは、感覚の特性が経験にまぶす欺瞞的な仮象を免れている。こうしてロックは、機械論的自然観の世界像が、要請される純粋に帰納的な経験科学に合致するものであることを示しえたと考えた。資本主義の自然観に完全にとらわれたロックは、量だけを実在のものと認識すること、ならびに質は量に還元できるとすることの根拠は、人間の精神物理学的機構 Organismus の本姓認識にあると信じた。マルクスはロックについて、正しくも次のように言う。ロックは、ブルジョアの悟性を人間の普遍的悟性にしてしまったと。

ロックははじめて、認識能力の性質と限界を問い、認識論を打ち立てた。しかし、それは引き続き、さらなる問題に逢着する。自然科学は自然法則を発見した。しかし、自然に法則を付与した立法者について、それ以上問うことはしなかった。唯物論は（立法者としての）神を拒む。それ以外の論者たちは、神の観念を心情の必要を満たすものとして、なお許容するものの、しかし、経験の領域に自己を限定せざるを得ない科学に、神の観念も取り込むことを許さなかった。誰も定めなかった法則が存在することになる。いったいどこに、この法則は由来するのだろうか？

勃興する市民は、封建時代の法と絶対主義の法とに、自分たちの市民法を対置する。資本主義に適合し、当時の市民の必要性を満たした法は、市民には自然法として立ち現れる。これは自然自身によって各人の精神に植え付けられ、その妥当性を阻むのは、むき出しの暴力だけ、と考えられる。人間の本性から正しい法が導かれ、人間は法の源泉を自己の胸の内に求める、とされる。

人間の法の観念は、ふたたび自然の秩序に転用される。人間は、人間社会の持つ正しい諸法の根源を自己に求めるのと同じように、自然の実在する諸法則の根源を自分の意識の中に求める。君主が社会に法を与えたのではない。個々人が相互に結んだ社会契約を通じて不朽の法秩序が打ち立てられた。この法秩序は、人間欲求の変わらない自然の性状にその根拠を持つ。神なるものが自然に諸法則を与えたのではない。人間自身が自然諸法則を世界に移し替え、諸法則は人間の認識能力の変わらぬ性状にその根拠を持つ、とされる。資本主義の必要に対応する市民の法秩序が、人間の不変の道徳的性状に基づく自然法そのものと見做されれば、自然諸法則、つまり、資本主義の時代が自分に似せて世界を形成した際の、手段としての自然の諸法則は、人間の認識能力一般の諸法則、つまり、人間の認識能力の不変の性状に基礎を置く諸法則となる。

萌芽的ではあるが、この新しい認識論は、すでにヒュームによる物体と因果律の解体に含まれていた。それによれば、世界には原因も結果もない。人間が、相次いで起きたと慣習的に見て取るものを、原因と結果として相互に結びつけるのである。自然には相前後して生起する個別の現象があるだけである。人間だけが、諸現象を因果の束によって結びつけ、諸法則のもとにまとめる。しかし、この経験論のさらなる仕上げは、英国 auf britischem Boden ではなく、ドイツで初めて行われた。

英国哲学は、一三世紀から一九世紀にかけて一貫した特徴をもっていた。ドゥンス・スコトゥスの個別主義が自然に適用され、オッカムを通して唯名論になった。双方は、ベーコンの経験主義につながる。ロックは経験主義を機械論的自然観と調和させようとする。ヒュームはさらに進めて自然を完全に個別の現象に解体し、現象間を繋ぐものは人間の思考習慣だけとする。ベーコンからジョン・スチュアート・ミルへ、ロックからスペンサーへ、そしてヒュームからジェイムズへと、道が真っ直ぐに通じている。いたるところに同じ特徴がある。実践における個別・個人主義は、理論面では経験主義となる。経済と政治において英国は、個人資本主義の母国であるとともに、個人資本主義に合致した思想の流れをもたらした。

英国人よりだいぶ遅れ、一八世紀になってはじめて、ドイツ人が哲学の指導的地位を獲得した。ドイツでも一八世紀に、資本主義はすでに広がりを見せていた。しかし、それと並んで封建秩序が広く残っていた。ドイツの知識人も、機械論的自然観と合理的国家論を受け入れた。しかし、いまだ旧来の封建的で教会にとらわれた思想世界に繋ぎとめられ、また、個人を絶対主義の国家権力や土地領主の支配下に、そしてツンフト共同体に服属させようとする社会秩序のくびきに繋がれていた。彼らもまた世界を資本主義に似せて考えた。だが、いまだ十分に個人主義的に解体されないドイツの現実のため、世界を諸原子の構成する機構にすっかり解体することは叶わなかった。

カントは、経験を労働になぞらえて考えた。労働が自然の与える物 Materie を加工するように、我々の認識能力は、我々の感覚諸器官がもたらす素材 Material を加工する。したがって、経験においてはいつも、感覚を通して与えられる質料 Materie と、認識能力の活動によって質料に与えられる形式とは区別される。こうしてカントはまず、合理主義と経験主義を統一し、デカルトとロックを統合する。カントもまた、資本主義の自然観から出発する。カントにとっても数学的な運動諸法則は、すべての学問の目標であった。しかし、数学と運動学の認識は、カントにとって、デカルトのいうように生得観念からの推論ではなく、経験の中で、そして経験とともにのみ発展する認識であった。その限りにおいて、カントはロックに与し、デカルトに反対していた。一方、経験は、感覚器官の知覚を単に受容することではなく、この知覚を人間意識の諸機能をとおして加工すること、直観と思惟の純粋形式――経験において働くが、経験に由来するものではない――によって加工することである、とされた。この限り、カントはロックに抗してデカルトの側に立つ。

すでに見たように、帰納的経験主義と数学的合理主義の対立の中に、資本主義の商品生産固有の矛盾が反映している。この矛盾は、諸個人の法的自由と経済的相互依存との矛盾である。相互依存は、市場で貨幣と交換に財を売却することで完全なものとなる。法と経済との矛盾は、次のように認識することによってのみ解決する。つまり、財を価値量に還元することは、個人の自由な活動が社会の必要を満たすための、資本主義に固有の方法だということである。こうした必要は、分業に基礎を置く社会ではどこでも存在する。それは、消費を生産に適合させることであり、また、個々の職業へ労働を割り振るにあたり、社会の必需品の構成に合わせることであり、社会の生産装置を人口の増加に適応させることである。これと同じく、物体を質量とエネルギー量に還元することは、我々の認識能力が要請する方法である。個々人が個々のものを個別に認識する際に、この方法にしたがって人間の直観と思惟の普遍的諸機能――すべての人間の意識に共通し、人間意識の集合的諸機能そのもの――が働く。物体の数学的特性は、カントにとって、ロックのいうような物の唯一実在する特性、つまり一次的特性ではなく、直観と思惟の純粋形式であり、それは、我々の意識が感覚器官のもたらす素材に付与するものである。ここでカントはヒュームに接近する。カントも考える。人間だけが、経験上相前後して生起する諸現象を、原因と結果の連鎖として、しかも諸法則に則ったものとして結合する。一方、ヒュームにとって、自然は一つひとつばらばらの現象が整理されないまま集まったものであった。それらを因果関係において結びつけることは本質的ではなく、単なる慣習であり、実践の用がある限りにおいて正当化された。カントにとっては、自然は諸法則の体系である。というのは、我々にとって、法則を与える人間の悟性がもたらす自然以外に自然はないからである。悟性は、知覚した素材を自己の法則性に基づいて加工する。またこの法則性は不変であり、すべての人間意識の固有性に基づく。こうしてカントがニュートンの『自然哲学の数学的諸原理』に見出した自然秩序は、自然法と対を為す。自然法の諸法が人間の道徳性において根拠づけられるように、自然の諸法則は、人間の理論的認識能力の特性において基礎づけられる。当時理解された自然法が、あらゆる時代とあらゆる民族に有効であったように、人間の認識能力が自然に対して定める諸法則は、普遍的で必然的だった。カントはルソーと同時代人である！

カントもまた資本主義の子である。彼は資本主義の自然観——あらゆる経験にとって、最終の成果は数学的運動諸法則である——を受け入れる。カントは個人資本主義の自然法的国家哲学を受け入れ、それに倣って自分の認識論を形成する。それによれば、数学と運動学の諸法則は不変の諸法則であり、我々の認識能力がそうした諸法則を自然に対して定める。それはちょうど、自然法の諸条項が不変の諸法であり、我々の道徳的本性がそれをあらゆる人間社会に命ずるのと同じことである。資本主義が自分の像に合わせて世界を造る手段としての諸法則は、カントにとっては、人間意識の永遠の諸法則であった。マルクスであれば、カントを評して、市民の悟性を人間一般の悟性と宣言した者、といったことだろう。しかし、英国の個人主義的先行者たちとは異なって、カントは個人主義的世界観を普遍主義的にさらに推し進めた。カントにとって、数学と運動学の諸法則は、ロックのように個々人が個物の一次的特性を観察・比較して獲得する概括ではない。人間一般の意識の、また類としての集合的な悟性の諸法則であり、それらは個々人に植え付けられていて、これをもってはじめて、あらゆる個物を構成し、知覚した素材から産出する諸法則である。また、ヒュームにとっては、自然経験は個別現象を模写することにほかならず、因果律に則って個別現象を結合することは、経験にとって補足的で、慣習がそうさせるだけだったのに対して、カントにとって自然経験は、知覚した素材を受容するにとどまらず、直観と思惟の形式に則って素材を秩序立てることでもある。したがって、自然は個別現象が未処理のまま集まったものではなく、諸法則の体系であった。

もっともカントは、個人主義的世界観を普遍的なものに変容させたばかりでなく、同時にその妥当性に制限を加えた。すでにロックは、二次的特性を外的対象物に由来するものとはせず、我々の感覚器官によるものとした。カントはさらに進めて、一時的特性が我々の観察と思惟の形式であると捉えた。外的対象物のすべての特性は、我々の認識能力の内に取り込まれる。その外側にあるのは、認識できない物自体である。我々の感覚器官と観察・思惟形式との性質を決める我々の知は、諸物そのものが、我々の認識能力から独立してどのような性状であるか、ということをいえない。我々の知識は、現象にかかわる知識、つまり、我々にとっての諸物の知識に過ぎず、物自体についての知識ではない。物自体の秩序について、我々は理論的に何も決められない。しかし、だからこそ、我々が自分の実践的目的に沿って諸物の像を描くことは自由である。カントはこのように、「実践理性信仰」と神、魂のための領域を手に入れた。この考えを詳述する中で、カントがいまだ強く、封建時代から継承された神学の残滓に囚われていたことが分かる。しかし一方、カントが悟性知と理性的信仰の関係に触れた記述には、将来が期待される認識が孕まれていた。それは、機械論的自然観は世界の本質の認識ではなく、人間精神が自己の目的に合わせて世界を自分のものにする際に利用する、数ある方法の一つに過ぎないこと、それと並立して他の方法も可能である、という認識である。ただ、カントは、再び資本主義の子として、機械論的自然観の方法を理論的認識の唯一可能な方法と見做し、他のやり方ではこの認識に到達せず、せいぜい倫理的欲求と美的判断、理性的信仰の方法として存続しうるに過ぎないとした。他方、カントは封建時代の神学の残滓に縛られていて、他の方法を選択する自由を行使しても、神学的世界像を正当化することになるだけだと考えた。

c　弁証法哲学

市民革命に対し、封建反動が登場し、市民の自然法学説にロマン主義の歴史法学派が対抗する。市民階級は、自己の必要に適う法を、あらゆる時代と民族に適用される自然法だと宣言したが、封建勢力は次の様な認識を対置した。それは、永遠・不変の法、つまり、人間の本質そのものが決定する法は存在しない、法はむしろ有機的に、社会のその時々の経済・民生・文化状況から発展する、という認識である。自然法学説の抽象的な一般意志に抗して、法を定める具体的な民族精神が登場する。

永遠の法
譲りえぬものとして天空に架かり、
星のごとくに揺るがぬもの

［シラー『ヴィルヘルム・テル』］

という考えに対して、法の変容を生む民族精神の有機的発展という新しい考えが挑戦する。最高度に発展した資本主義国家の法は後進国によって受容される、という主張は退けられる。それぞれの民族精神は互いに異なっており、したがって、個々の民族の法は異ならざるを得ないから、というのである。

啓蒙哲学にとって、歴史は、「ごみ箱とがらくたの部屋」に過ぎず、誤謬と迷信が無意味に入り混じり、不正と暴力が混ぜ合わさっていた。歴史に意味を与えたのは、自然法哲学に対抗して起こった封建的歴史観である。それによれば、社会の個々の段階は、必然的に次々と発展する。倫理と法、知識と信仰の各状況は、民族精神が到達した、そのつどの発展段階の必然的な発露である。このような歴史観からヘーゲルの歴史哲学は出発する。人類とその社会状況、法、国家、思想の全歴史を、集合的な人間精神の、法則に則った内的な発展として把握する試みが初めて行われた。この思考においても資本主義の諸思想が生き続ける。事象の厳密な法則性——資本主義時代の自然科学において発達した——の要請は、歴史に適用される。しかし一方、この適用は、封建的反動が、市民革命に対して鍛えた武器である。

ヘーゲルは資本主義の子である。彼は歴史的発展をすべて、競争体制の経験に照らして考える。すべての歴史的発展が生ずるのは、個人相互の競争においてである。そこでは個人は、一人ひとり利己心に導かれる、と。しかし一方、ヘーゲルは封建ロマン主義の法・国家観の子孫でもある。民族精神は、自己の目的を達成するため、個人相互の闘いを利用する。世界精神は自己の目的に人類を誘導するため、民族相互の闘争を利用する。それは「理性の狡知」であり、個々人と個々の民族の利己心を利用する、と。この考えは時代の思考法に合っていた。そこでは自由競争が、まだ現実のものとなっていなかったものの、既にあらゆるところで論争の的であった。自由主義が国家権力を握れば、国家は競争を解禁する。国家は一人ひとりの個人に、自由に自己の利益を求めて闘うことを許す。しかし、国家がそうするのは、それが国家の利害、つまり、全国民の集合的利益をもっとも有効に振興することであり、自由競争こそ、生産力を高め、国民所得を増加させ、そして国家の富と権力を拡大するのに最適と考えるからである、と。自由競争が社会と国家の目的を達成する手段であるとする考えをヘーゲルは敷衍して、世界精神は自己の目的達成のために個人相互の闘争を利用する、とした。

ヘーゲルは市民革命の時代に生きた。ちょうどフランスと英国が国民国家の形を整え、ドイツとイタリアが国民国家を打ち立てようとした時代である。ヘーゲルにとって国家は、自然法学説のいう必要悪ではなく、全歴史発展の目的・完熟の果実であり、国民国家は民族精神の実現であった。非人格的世界精神は、人格的主観的諸精神が交える闘争を利用して超人格的客観的精神——法、道徳、人倫、家族、社会、国家——に自己の実現を見ようとする。

ヘーゲルは、人類史のこうした理解全体を世界の全事象に適用する。ちょうど歴史において個人が相互に結びつき、あるいは敵対するように、自然において諸物 Massen は、相互に引き合い反発する。しかし、個人の闘争が、世界精神の用いる手段であり、人類を自己の目的に向かわせる手段に過ぎないように、自然においても、個々の力の対抗は、世界精神がそれを利用して、自然を自己の目的に導く手段に過ぎない。自然の機構 Naturmechanismus もまた、「理性の狡知」が利用する手段に過ぎない。自然においても、法則性をもった発展が支配する。発展は、無生物から始まって植物界、動物界、そして人類へと進む。人類の歴史は自然の発展の一部に過ぎない。この歴史の最高の所産は、人類の集団的精神的所有物である絶対的精神である。芸術、宗教、哲学において、人類は感覚を通して自然を看取し、表象し、把握する。世界精神は自然の機構を利用して、発展を常により高次の段階へ進める。そしてついには最高の段階に達し、哲学において精神は自己自身の認識に至る。精神の自己認識は、世界精神が機構を媒介にして到達する目的である。このように考えるヘーゲルの哲学は、講壇哲学、知識人の哲学であることが明らかだ。この哲学にとって、認識は生の単なる手段にとどまらず、あらゆる志向の最高目的であり、発展の最終成果である。それは、ドイツ市民層がまずは精神的武器を手に、封建勢力と闘うことのできた時代のいかにもドイツ的な哲学であった。フランスと英国の市民層が、本物の武器で封建勢力を打ち倒すことのできた時代である。経済的後進国で政治的に分裂したドイツは、思想家と詩人の国であることを甘受せざるを得ない時代であった。その時、英国人とフランス人は世界を互いに分け合っていた。

すべての出来事は機制 Mechanismus である。それは自然の中で諸物 Massen が引き合い反発することであり、社会で諸個人が協働し競争することである。このように考えるヘーゲルは資本主義の子だった。しかし、機制は手段に過ぎない。世界精神がそれを用いて人類の集合的組織 kollektive Organisation において、そして客観的精神において最終的に国家として自己を定立するとともに、人類の集合的精神的所有物である絶対的精神において哲学として最終的に自己認識する。ここでヘーゲルの歴史観は世界像にまで拡大する。その歴史観は、市民革命の闘争から、また、資本主義と封建制との闘争、革命と反動との闘争、そして自然法学説と歴史法学派との闘争から育ったものである。

ヘーゲルは、結局のところ封建・ロマン主義の法・国家学説から発展したこうした思考全体を、カントによる自然法的認識批判の後継の思想と結びつけた。

カントは経験を吟味して純粋思考形式を獲得した。彼は当時の数学的自然科学を調べ、確かめようとした。それは、自然科学を構成するどの部分が、感覚器官によって我々に伝えられるのではなく、その部分はむしろ我々の認識能力に帰せられて、純粋の思考形式として考えられるべきであるか、ということである。こうしてカントは、カテゴリー一覧を得た。カントにとって我々の悟性は、不変のカテゴリーの体系、思考形式の体系であり、そこに感知した素材を流し込む。この考えは、彼の弟子たちを満足させなかった。精神のより厳密な内在的合法則性が必要で、彼らはある種の機制を探し求めることになる。精神がそれを媒介にして、自己の内からすべてのカテゴリーを産出する機制である。それは弁証法であった。弁証法では、ある概念が別の概念から生成する。フィヒテは、精神の自己運動を案出する。それはもっとも普遍的な概念から、より具体的で規定された概念を生む。カントは経験的概念において、我々の認識能力が与える形式と感覚がもたらす質料とを区別する。これに対し、フィヒテは経験的概念もまた、我々の認識能力の単なる自己運動から生み出すことができる、と考える。もっとも普遍的なカテゴリー、つまり悟性の純粋原概念が、弁証法的に継続運動をして、常により具体的な諸概念へと自己規定を行う。精神が、自己の感知した素材を加工することによって、自然を形成することはもはやない。そうではなく、精神が、諸カテゴリーの自己運動を通して自然を創造する。精神はしかし、自然と異なる実体ではなく、純然たる現実性 Aktualität であり、弁証法的に次々と導出される諸カテゴリーの総体に過ぎない。こうして精神は自然と同一化する。思惟と存在は一（いつ）のものとなる。というのは、存在の個々の諸規定は、個別の諸概念に他ならないからである。その概念は、弁証法的運動をする思惟が辿るものであり、思惟の個別概念は、経験的存在の個別規定に他ならならず、この個別規定は、弁証法によってのみ相互に関係を取り結ばされ、次々と導出される。思惟と存在の同一視は、時代の強い二つの要請と一致するものであった。一つは、人間の内に存する自然法に倣って自然諸法則の根源を見つけること、つまり、人間精神を自然秩序の創始者として把握することであった。ここではフィヒテはカントの後継者である。もう一つは、資本主義という時代の経験主義である。というのは、認識と存在との対立、現象と物自体との対立が消滅し、弁証法的に次々と生まれる諸概念が、経験的存在の諸規定と同一の故に、全経験的存在がその諸規定の総体とともに哲学の内実を為すからである。哲学はもはや、現象の経験的世界の背後に形而上学的実体 Wesenheiten の世界を求める必要はない。哲学は経験的存在自体と関係しており、存在をその多彩さにおいて描かなければならない。その方法が個別学問の方法と区別されるのは、哲学が存在の個別の諸規定を、理性的 rationalistisch に弁証法的方法により、自己運動する思惟の諸規定として次々と生成させることである。ヘーゲルはフィヒテの弁証法を、方法的には理性的であるが、内容的に即しては経験的という同一哲学へ継承発展させていった。ここでヘーゲルは、一九世紀の真の息子であり、個別経験科学が力強く発展する時代の真の息子である。

ヘーゲルは、我々がこれまで別々に考察してきた二つの思想を結びつけた。封建・ロマン主義の歴史法学派に由来する歴史観・世界観が、カントの市民的・自然法的認識批判から生まれた弁証法と結合される。世界精神は実体 Substanz としてではなく、現実性 Aktualität として、諸カテゴリーの弁証法的自己運動として表現される。そして世界精神は、自然と社会における経験的存在と同一であり、その個別の諸規定は、継起し次々と産出される世界精神の諸カテゴリーとして描かれる。自然の発展は人類に終わる。主観的精神、人間の意識は、自然機制の最後の産出物である。主観的精神も、諸カテゴリーの弁証法的自己運動に他ならない。主観的精神は、別途自然を自己の認識の対象として生み出す。しかし、人間は自己の主観的思惟行為をその諸対象から区別する。精神と自然、それは世界精神と自然の一体として即自的には同一であるが、我々にとっては異なっていて、主観的精神とその思惟の対象として区分される。しかし、主観的精神の運動は、哲学において終了する。そこでは人間の意識としての精神は、自己を世界精神の規定として、世界精神と同一のものとして、それによって自然と同一のものとして再認識する。

ふたつの異なる基盤から生じた思想の総合は、再び、ヘーゲルの時代の二つの異なった対立する要請に応えるものであった。一つは、当時の宗教的動向である。ナポレオン時代の戦争の悲惨は、人々に再び祈ることを教えた。そして封建的・絶対主義的反革命は、民衆による宗教の渇望を自分たちの支配の手段として利用することを知っていた。ヘーゲルはこの要請に応え、自然は世界精神の自己運動であり、世界精神は神である、とした。一方、ヘーゲルの時代は、資本主義が急速に発展し、機械論的自然科学——自然を機械装置と考える——が足早に打ち立てられた時代でもあり、神の自然への介入を許容しなかった。そこでヘーゲルはこの要請にも応えた。というのは、ヘーゲルの世界精神は、「外部からぶつかる」神ではなく、諸カテゴリーの自己運動に他ならず、そのカテゴリーは経験的存在の諸規定と同一であり、自己運動は、経験的存在の諸規定を思惟において次々と産出する理性的な方法に他ならなかったからである。有神論者と無神論者が同時にヘーゲルを引き合いに出すことができるのは、不思議でもなんでもない。

弁証法が個々に展開するに際しては、ヘーゲルは資本主義の自然観の埒内にあった。これがもっとも明瞭に示されるのは『論理学』の第一章である。機械論的自然観は、我々が質を量に還元することを要求するが、ヘーゲルは、質が自ら量を定立し、量に転化することを教える。機械論的自然観は、我々が抽象的な量の諸概念――これが共通の基準として、すべての自然現象を力学的作用 mechanische Arbeit に還元することを可能にする――を現象の本質と見做すことを要求するが、ヘーゲルは、量が諸物の本質と教える。『論理学』において存在、本質、概念が描かれるが、それはすべて数学的自然科学の方法を述べたものであり、同科学が個人資本主義の時代をどう捉えたかを記したものである。ヘーゲルにとって、個々の力の織り成す機構が世界精神の必須の規定であるとしても、一方、その規定は世界精神の諸規定の一つに過ぎないし、非人格的世界精神が辿る諸局面の一つに過ぎない。世界精神はそうした局面を通り、それを超えて、非人格的客観精神、つまり、国家において自己を客観化し、非人格的絶対精神、つまり、哲学において自己を認識する。これがドイツ哲学の普遍主義的傾向であり、個人資本主義の自然観を自己の内に取り込みながら、同時に制約する。個人資本主義よりも後退し、同時にそれを超えている。まず後退についていえば、この哲学は市民革命に対する封建的・キリスト教的反動から生まれた。同時に、個人資本主義を超える側面について。個々の諸力の競争は、世界精神が自己の目的のために利用する手段に過ぎないと考えること、また、この闘争から、闘う者が目指す目的すべてとは異なった、客観的精神の作用が生まれると考えることは、自然から人間社会に移し替えれば、若きマルクスの著作では、科学的社会主義の萌芽となる。

組織された資本主義の世界観

一八四八年革命の敗北は、ドイツ市民層のうち観念論哲学で育てられた世代の敗北であった。銃剣が理想を打ち倒したことにより、市民層は失望して観念論哲学に背を向けた。そして経済活動にいそしんで五〇年代の景気を押し上げるとともに、自己の階層に属する思想家の注意を自然科学に集中させた。また革命の結果、ついに獲得された自由競争を喜び、それを世界の事象すべてに投影した。自然科学的唯物論は自由主義と結合する。

しかし、ドイツの自由主義は、一八六六年と一八七一年に戦場で敗北を喫した。ドイツ市民層はビスマルクの勝利に強い印象を受けて、ユンカー的・軍事的官僚国家の腕の中に飛び込んだ。一八七一年以降、政治的自由主義を打ち捨て、一八七八年のビスマルクによる政策転換以来、経済的自由主義をも放棄した。保護関税、中間層政策、農業改革、労働者保険は、一八七八年以降合言葉であった。自由競争への信頼は崩れた。歴史学派と講壇社会主義がマンチェスター主義を克服した。国民経済学と歴史学は、新しい世代を教化して国家の創造力を信頼するように仕向けた。自由主義が揺らぐとともに唯物論も揺らぎ始めた。国家と和解したブルジョアは、国民教会 Staatskirche とも和解せざるを得なかった。教会との和解は、むしろ進んで行われた。というのは、教会の精神的権威が、高まる労働運動に対して最強の防壁であることがはっきりしたからである。しかし、資本主義陣営からだけでなく、反資本主義陣営からも唯物論に反対する新しいグループが生まれた。それは講壇社会主義で、マンチェスター学派に反対する官僚国家の代表として、また、農業危機と土地負債の急速な増大の時期に反資本主義に傾く農業の代表として、さらには大企業の凱旋行進に脅かされた中間層の代表として、講壇社会主義が資本主義的自由主義に強く抵抗するのに伴い、ますます激しく自由主義の世界像を併せて揺さぶった。時代は、唯物論を克服すべき新しい世界観を求めていた。ビスマルクが経済的自由主義に背を向けてから三年後の一八八一年は、カントの『純粋理性批判』刊行一〇〇周年記念に当たり、新カント主義が勢いを得てこうした要求を満たそうとした。

ビスマルクが作り上げた保護関税体制の枠組みの中で、新しい資本主義である組織された資本主義が発達し、旧来の個人資本主義を乗り越えた。カルテル、農業協同組合、労働組合が市場を組織する。もはや自由競争ではなく、組織が時代の標語だった。国家の立法・行政は、ますます厳格に経済・社会生活を統制した。諸勢力が自由に活動することではなく、国内外で経済目的の為に直接に政治権力を利用することが、人々の確信するところとなった。金融資本が強化され、カルテルが発達し、帝国主義政策が推し進められて、組織された集団的資本主義が発達する。それにつれて、旧来の市民個人主義は影響力を失っていった。市民は、何よりも組織の成員・国家公民であると感じ、個人の自由ではなく、国家に対する忠誠と組織における規律こそが最高の価値であると考えた。このように市民による社会観が変化するとともに、その自然像もまた変化せざるを得なかった。

まず変化したのは、自然科学が担う課題の考え方総体である。市民がいまだ封建勢力や絶対主義と闘っているあいだは、封建時代の思想世界を克服すべき世界観が強く求められた。コペルニクスからダーウィンまでの自然研究の偉大な活動はすべて、過去の思想に立ち向かう市民に武器を提供するものであった。それがいまや変化した。支配階級となったブルジョアジーが自然科学に求めたものは、世界観に関わる欲求を満たすことではなく、技術的に直接利用可能で生産方法を完成してくれる認識であった。マッハ、ポアンカレ、ジェイムズの懐疑的実証主義は、自然科学を新しい光のもとに眺めることを教えた。知は生存競争の道具であり、実践的目的を達成する手段に過ぎない。事物の本質を追求することはできず、経験を実践的目的のために集め整理するだけである。自然科学が実験により実証可能な自然法則を推論するための仮定――旧来の市民階級の思想家にとって、それは世界観に関わる興味を満足させ、また世界像の基礎であり、封建時代の世界像と闘い対置したものであったが――は、今日の実証主義にとって重要ではなくて、整理のための補助手段にすぎず、諸経験事実を計算して結びつけるために役立つのである。コペルニクスの活動はかつて、人々にとって教会支配権力の思想体系に対抗する革命的行為であった。今日の相対主義にとって、それは座標系の変換に過ぎない。つまり、コペルニクスの体系をプトレマイオスのものより優先することである。その方がより適切な計算を可能にするからである。

自然科学総体の理解が転換することで、自然法則の理解がまず変わった。制約されない王の権力がすべての法の生みの親だったとき、理神論は神を自然の立法者と見做した。共和国で法律にしたがう人民が立法者になったとき、汎神論にとって、自然法則にしたがう世界は神的立法者と同じであった。市民層が人間の不変の道徳的自然を、すべての法の根源であると宣言したとき、その市民層は、自然法則の根源を人間の不変の認識能力に求めた。歴史法学派が法を、有機的に発展する民族精神の発露と見做したとき、自然諸法則もまた、弁証法的に活動する世界精神の発展諸段階となった。しかし、我々の時代は、別の法則概念を創り上げた。我々が社会の法というとき、不変の、人間の道徳性そのものに根拠を持つ人間の法、市民の法を考えることはない。それは、民族精神の発展諸段階が具現した偉大な歴史的法体系でもない。想起されるのは、我々の議会の日々の立法活動である。今日は口蹄疫病の防除を定め、明日は株式市場の有価証券投機を法律で取り締まることである。今の時代の法律は、経済目的のために日常的に利用される手段である。そして我々の法概念が、いまや自然法則にも適用される。自然法則も、我々にとって経済目的を達成するための手段にほかならない。

我々の知識は、労働の手段である。我々は知識をできるだけ目的に沿って、可能な限り簡便に、そして経済的に構成しようとする。そのため、我々はできるだけ多くの個別知識を一つの規則のもとに総括する。こうした規則をまとめて、我々は自然法則と名付ける。自然法則は、神が世界に与えた律法ではない。また、不変の認識能力が自然に課する法則でもない。それは世界精神の規定でもなくて、人間が用いる、ただささやかな手段である。諸経験をできるだけ簡便に合目的的に経済的に整理する手段である。自然諸法則は、我々に世界の本質の認識を開示しない。ただ、我々の知識を目的に沿って整理する手段というだけである。そして、この知識そのものが、我々の労働を目的に沿って整序するための手段に過ぎない。

機械論的自然観は、自然現象をすべて運動諸法則に還元しようとした。わずかの質量Massenteilchenの運動が、世界の本質だった。光、温度、電気は、そうした運動が我々の感覚器官を通じて意識に引き起こす感覚に過ぎない。新しい自然観にとって、この考え方は、それ以上のものを示唆するものではない。我々が経験するものは、まさに感覚である。経験した自然事象を質量運動の現象として描くとき、それはただ、自然事象をもっとも簡便に整理するためである。その方法は、ただ、我々が経験する諸現象を、他の方法で整理するよりも簡便で経済的である場合に限り正当化される。

マニュファクチャーの時代、人間労働はすべて、人力によって材料を動かすことだった。自然事象を人間労働になぞらえて把握しようとすれば、力による材料の運動として考えるほかなかった。機械が導入されても、なんら変わらない。機械はただ、それまで人間の手足によって遂行せざるを得なかった運動を行うだけである。工場の時代になっても、工場労働から類推して世界を考えた。世界は機械の体系と見做された。ところが、我々の時代になって、機械による生産が装置産業に大きく席を譲る。まず、鉱工業、化学工業、電気工業が我々の興味を引く。こうした進歩とともに、農業の技術革新も興味深い。植物栽培、人口肥料の効果、地中バクテリアの活動が、今日我々の関心を引き付ける。ちょうど一〇〇年前、人々が紡績機に興味を抱いたように。我々の労働概念は、本質的な変化を遂げた。労働は、装置の中で起こる化学的あるいは電気的事象となる。技術的にみて、それが本質である。取手をうごかすことによって、あるいはボタンを押すことによって事象を開始する労働者の行為は、ただ事象を開始するだけである。生産が植物栽培の場合、肥料を土壌に撒く日雇い労働者の活動は、生産の一条件に過ぎない。我々は人間労働の本質を、もはや力学運動の中に見るのではなく、人間がその力学的運動によって開始する化学・電気・生理学的事象に見る。世界の事象を我々の労働に倣って考えるならば、もはや自然現象は、力によって引き起こされた材料の運動に還元することはできない。化学エネルギー、電気エネルギーは、力学的労働よりも理解が簡単ということにはならない。機械論の放棄とともに、原子論も意味を失う。封建の支配団体・同業団体が絶対主義により瓦解し、絶対主義が自由主義により粉砕された時代の思想は、全体と個の対立、国家と市民、世界総体と原子、神と被造者との対立を対象とした。社会と同じく思想においても、集合的総体と個人の自立が対立し、また普遍主義と個別主義とが抗争した。個人資本主義から組織された資本主義へ移行する過渡期の時代は、個別主義と普遍主義双方を克服する。

個人が自己の主人であることは打ち砕かれた。個々の人間は、自分が所属する多様な諸組織に生まれ、そこで活動するだけである。組織行為においてのみ今日、諸個人は発展できる。諸組織を通してのみ活動可能である。そのため、諸個人は組織の役に立たなければならない。個人は組織の生成物であり道具である。ちょうど組織が諸個人の生成物であり道具であるように。組織されざる個人とともに、その理論像である原子も意味を失う。現代の自然研究者にとって、原子は思考の補助手段に過ぎず、諸経験が簡便に記述できるところで利用されるにすぎない。それは、もはや現実的実体ではない。研究者にとって原子は電子系に還元される。しかし同時にこの電子系は、思考の実践的補助手段と考えられ、現実の実体とはされない。

個別主義とともに普遍主義も消滅した。今日の具体的な国家は、それ自身、数ある組織の一つに過ぎない。国家の立法は、国家に影響を及ぼす諸組織の力に左右され、政府は、権力を争う諸政党の力がぶつかり合った結果である。国家は、諸個人を超越して聳える普遍ではなく、諸個人の力が織り成す結果である。社会を超越して存在する国家が凋落するとともに、その思想的反映——理神論では立法者としての神であり、カントのいう立法する人間の類的理性、そしてヘーゲルの世界精神——も衰えた。

個別主義も普遍主義も解体した。現代の世界像は、諸要素の複合体、様々な知覚の束を包含するのみである。それは交代する諸知覚からなり、時に相互に結びつき、また分離し、いずこにおいても互いに裁然と区分されず合流する。いずこでも諸個人は明確に相互に区分されず、しかしながら、どこにも計画的に統合された全体が存在しない、という状態は、印象派の絵画に似ている。くっきりした輪郭はすべて回避され、すべての描線が合流し、色調がすべて溶け合っている。それは古い個別主義と普遍主義の対立が、ある種の実践の中で止揚された時代の世界像である。その実践においては、個人はもはや自立 souverän しておらず、諸組織の被造物、道具になっており、一方、組織もまた、全体を調和的に統合した具体的存在ではなく、諸個人の道具であり、社会主義的共同体ではなく、株式会社であり、カルテル、協同組合、労働組合である。個人と人間の法や、世界と神の本質を尋ねる古くからの大きな問いが、もはや意味をなさない時代の世界像である。ここで政治は、ただ、団体の経済利益を貫こうとし、学問は、我々の経験を要領よく整理し、芸術は、我々が知覚したものをただ再現するに過ぎない。

個別主義と普遍主義の対立が消滅するとともに、因果説と目的説の対立も消える。機械論的自然観は、諸現象を原因に遡って結合するだけであった。ヘーゲルによって歴史にも適用された純粋に因果論的な学の必要性は、マルクスの歴史観によって叶えられた。ただ、マルクスの歴史観は、社会主義に貢献するものだった。したがって、まず目的論の側から反対の声が上がった。新カント派（シュタムラー、ヴィンデルバント、リッカート）は、マルクス主義に対抗する中で、因果律の正しさを自然科学に限定した。科学は、歴史と社会を原因と結果というカテゴリーで整序すべきでなく、手段と目的というカテゴリーで整理すべきだ、という。そこで、目的論が再び自然科学に接近した。因果律に基づく自然諸法則は、我々の目的を達成する手段に過ぎないとして、因果律そのものが、目的論的に基礎付けされる。因果的諸法則は、物の本質を説明せず、我々の経験を簡約して記述するに過ぎない。この諸法則は、「原」事象Ur-Sache［原因］が現象をどのように引き起こすかを示すことはできない。それは、ある現象が別の現象にどのように続くのか、また、ある現象が別の現象にどのように随伴するかを示すに過ぎない。因果律の概念は、再びヒュームのように考えられる。この概念はただ生物学的に、そして実践に有用であるか否かによって正当化されるだけである。したがって、その正当性の及ぶ範囲は、有用の範囲に限られる。手段と目的の観点からの整序が、原因と結果をもとにする整序に比べて、事象をより簡便に記述できるのであれば、手段・目的が優先されるのである。現代国家にとって社会の必要の充足を、「諸勢力の自由な活動」に委ねるか、あるいは国家の計画的立法・行政行為によって行うかは、合目的性の問題に過ぎない。同じく現代科学にとっても現象を、自由競争に倣って機制の作用として描くか、あるいは計画的活動をモデルにして、目的を意識した志向の結果として記述するかは、目的にかなっているかどうかの問題に過ぎない。目的論は、とりわけ生物学に再び受け入れられる。ダーウィンに失望した多くの者が、再びラマルクを引き合いに出す。市民層は、もはや目的論と闘わないので、もうそれを恐れてもいない。

ついに科学の採用する数学的方法に対する見方が変わる。この点でも、転換はまず社会科学の分野で行われた。数学的自然科学に倣って、重農主義者、古典経済学者、マルクスが、方法的には数学的な国民経済学を創造した。ドイツではまず経済学の必要が芽生えた。その経済学とは、古典的自由主義にもマルクス的社会主義にも対抗するものである。歴史学派は、自由主義と社会主義との理論を編み出した数学的方法を拒絶する。歴史学派はいう。国民経済学は、個々の所得を社会的労働の量として記す必要はない、経済現象をその質的多様性において描くべきであるし、継起する発展を説明すべきであると。論証的・数学的国民経済学に記述的・歴史的国民経済学が対抗する。のちになって、自然科学でも数学的手法の正当性が問われた。もちろん誰も、数学的・論証的方法を具体的経験内容の単なる再現で代替することや、自然科学を自然史で置き換えることを敢えて望まなかった。しかし、人々は数学的方法の成しうることを過大評価しないことも同時に学んだ。質を量に還元することによって、ロックや唯物論が主張するように、物の一次的で唯一実在する特性の認識に到達することはない。この還元は、我々の悟性が利用する手段に過ぎず、至る所で質的に規定される物質世界をもっとも簡潔に記述するためであり、それによってより完璧に物質世界を支配するためである。数学は新しい認識論にとって、デカルトのいう生得の観念体系ではないし、またロックのいう、物の一次的で唯一実在的な特性の認識でもない。はたまた、カントのいう人間の類的悟性の法則性 Gesetzlichkeit でもない。数学は、人間が技術的諸目的のために作り出した適切な手段である。こうした控え目な数学的手法の評価はひいては、ある世界像——もはや世界を量に還元することはなく、その質において叙述する——を求めることに繋がる。有閑の、働かずに遊興する富者にとって、また、労働が単に稼得の手段ではない創造的芸術家・学者にとって、さらに、我々が世界の富をすべて手にする一方で魂を失う時、有用とはいったいなんだろうと自問する宗教的人間にとって、はたまた、悪徳商法の世界を嫌悪して背を向ける、倫理的で審美眼をもった社会主義者にとって、我々の物質世界は使用価値から成り立っているのであり、交換価値からなるものではない、我々の社会は、経済主体と国家市民（公民）から成り立っているのではなく、個性の持主たちから成るものである。こうした人々は、すべてのものを貨幣量に還元する勤労の人々を軽侮と同情の念をもって眺める。したがって、数学的自然科学の世界像に満足することはありえない。その世界像自身、経済目的のための手段であり、資本主義の貨幣経済に倣って世界全体を価値量と質量、エネルギー量に還元する。この人々は、観念論的に唯物論に逆らう思潮の推進者であり、またこの思潮は、有閑者、知識人、芸術家の哲学として、唯物論が大きく勝利する時代にもけっして涸れることがない。今日、この逆流がますます力を得ている。というのは、一つには、この逆流によって自分の要求が満たされる人々は、従来にも増してますます強く経済生活――貨幣価値の下落が年金生活者としての彼らの存在基盤を堀り崩した――に抗議しているからである。もう一つは、機械論的自然観の解体によって非論証的世界像の必要性が満たされ、数学的自然科学と矛盾することがないからである。数学的自然科学は、技術的諸目的のためのささやかな手段に過ぎず、誰もが自由に別の目的のために、数学的自然科学の世界像とは異なる世界像を創ることが可能だからである。

機械論的自然観全体が、それに基づくすべての哲学体系とともに、現代の実証主義と相対主義のもとで解体する。しかし、資本主義の古典的諸世界観の自己解体が完成しても、まずは、いまだ市民的 bürgerlich 思考に制約された解体である。この制約から現代の認識批判を解放するという課題を、なお解決しなければならない。

マルクス主義の歴史観と哲学

マルクス主義の歴史観は、ヘーゲルの弁証法哲学から生まれた。この歴史観がその母胎から離れるにつれ、成立した時代の支配的な哲学である唯物論と結びつく。［唯物史観という］名前の由来はこの結合にある。しかし、機械論的自然観とともに唯物論も解体したとき、若きマルクス主義者たちは、マルクスの歴史観をその後の認識理論と結びつけようとした。ときに新カント学派と、ときにマッハの実証主義との結合である。資本主義の自然観に基づく哲学諸体系の影響力はいまだ大きかった。したがって、社会主義の理論すら、資本主義世界と激しく闘いながら、資本主義世界の観念上の鏡像を無批判に受け入れて、これを解体することなど思いも及ばなかった。いな、むしろそれと結びつこうとすらしていた。資本主義という歴史時代の世界観が自己解体を遂げて初めて、我々に対する影響力がそがれた。もはやマルクス主義の歴史観を市民的 bürgerlich 哲学の諸体系と結合するのでなく、マルクス主義歴史観の諸手段を駆使して、こうした諸体系そのものを、歴史的な依存と時代的制約の観点から把握することにより、その呪縛から自己を解放する勇気が与えられた。

マルクス主義歴史観が成立したとき、機械論的自然観への確信はまだ揺らいでいなかった。したがって、唯物論は自然科学が成し遂げた偉大な発展の、最後の異論の余地なき帰結と思われた。機械論的自然観が解体され、唯物論から基盤が奪われたとき、我々は唯物論に批判的に対処するようになる。我々はこうして初めて、唯物論が資本主義の競争体制を世界全体に投影したものに他ならないことを理解する。この理解とともにはじめて、社会主義の歴史観と資本主義の最後の教条体系とを結び付けていた紐帯が断ち切られた。

しかし、機械論的自然観を土台にしたのは、唯物論の教条体系にとどまらず、カントの批判体系もそうであった。我々はカントに対しても、今や異なった対応をする。重農主義者と政治経済学の古典派は、資本主義を社会の自然秩序と見做した。マルクスが初めて我々に教えたのは、重農主義者と古典派が、あらゆる人間経済の「自然のカテゴリー」と見做したものを、資本主義の「歴史的カテゴリー」と認識することであった。カントは重農主義者と同時代人である。彼にとって、個人資本主義の時代の思考形式は、人間の認識力一般の思考形式であった。

個人資本主義の自然観が自壊して初めて、カントが人間一般のものと見做した直観形式・思考形式を「歴史的カテゴリー」として、ある特定の歴史時代・社会秩序・階級の直観・思考形式として認識できるようになった。ニュートンの時空観念を克服した現代の相対主義によって、カントの先験形式・直観が、今日すでに克服された発展段階の自然科学の先験的観察形式であることを理解できるようになった。

機械論的自然観の解体は、現代の認識論、特にマッハの認識論において行われた。我々はこの解体によって勇気づけられ、機械論的自然観に基づく諸体系を社会的・歴史的連関のもとにおくようになったが、しかし、さらに現代派も越え、マッハすら越えることになった。

組織された資本主義の発展段階では、国家は経済生活を法律によって規制する。資本家階級はいう。法律は手段である、普遍的社会目的を達成し、経済生活を社会的にみてもっとも合目的的に、そしてもっとも効率的に形成する手段であると。マッハはこの法観念に囚われて、それを自然諸法則に適用した。自然諸法則は、我々の経験をもっとも合目的的に効率的に整序する手段であると。しかし、資本主義国家の法律は、現実には普遍的社会目的に資するのではなく、支配階級独自の必要を満たすものである。同じように自然諸法則が我々の経験を整序する方式は、もっとも合目的的で効率的なものではなく、特定の社会秩序の必要性と、その社会秩序の内部に存在する特定階級の必要性に合致したものである。

マッハは、科学とは、我々の諸経験をもっとも簡便に整序する企てであると考えた。一方、マルクスの歴史観が導く結論は、科学とは諸経験を整序する企てであるが、その様式は、ある具体的な社会状況にある人間、特定の階級に属する人間が持つ傾向性に十全に対応する様式だ、というものである。マッハは、自然科学の歴史を、諸思考が徐々に相互に適合し、また自然の事実に徐々に適合していくことと考えた。一方、マルクス主義は、歴史を、諸思考が徐々に社会状況に適合し、そして社会状況に規定された精神の必要性に適合していくことと考えた。したがって、マルクス主義は、マッハでもアヴェナーリウスでも、またポアンカレでもジェイムズでも叶えられない認識論を要請する。その認識論は、次のような方式・精神過程を詳細に示す必要がある。それは、人間が、自己の労働に倣い、自己の生きる社会秩序をモデルにして、あるいはその実現のために闘う社会秩序を範として、また自己の経済・社会・政治・民族闘争の必要性に対応して世界像を創造する方式・精神過程である。我々は、示唆に留まるかもしれないが、どうすればそのような歴史的・社会的認識論が可能であるかを示した。我々がここで略述できたものは、さらに完成に向けて作業することによりマルクス主義の認識論となるであろう。

原注

1　アウグスティヌスによる恩寵の選び説は、宗教の衣をまとった決定論だった。一三世紀と一四世紀、スコトゥス流の非決定論は、個人主義的・反権威主義的革命の思想である。その三世紀後、役割転換が起きる。つまり、一七世紀、カルヴァンの主張する恩寵の選び説は、市民の個人主義的革命の重要な武器となる。一八世紀、再びカントやシラーによって転換が起きた。意志の自由説が、国家において市民的自由を求める運動の同盟者となった。一九世紀に決定論と非決定論は、再び役割転換する。歴史法学派とヘーゲル右派によって、いまだ反動の武器として利用された決定論が、マルクス主義で再び革命の武器となる。

2　中世のすべての思考を彩るのは教会である。初期資本主義とともに成立した新しい思想世界はまず、一部は教会と闘うなかで、また一部は教会組織と教会の教えを整えていく中で確立されていった。初期資本主義が教会に与えた影響は、教会の支配組織を貨幣経済に沿って変化させただけにとどまらない。また、教会の宣教組織を、新たに生まれた都市民衆の嗜好に合わせただけでもない（托鉢修道会！）。その影響は、宗教感情の個人主義的涵養（アッシジのフランチェスコ）とスコラ学（トマス・アクィナス）、キリスト教芸術（ダンテ、ジョット）にも見出される。こうした運動が起きた場所はすべて、一二世紀・一三世紀の地中海沿岸諸国（イタリア、南フランス、スペイン）であり、初期資本主義の発展をもっとも早期に経験していた。そこでは初期の反教会運動（ブレシアのアルナルド、ヴァルド派、アルビジョア派）とともに、教会内部でも托鉢修道会が生まれ、また、キリスト教の感性、学問、芸術の新たな潮流が生まれた。そして徐々に経済的、知的発展の重心は、地中海諸国から大西洋沿岸に移る。すでに一四世紀、指導権はイングランドに渡った。ローマに敵対する運動の指導者（ウィクリフ）然り、教会の教えを改革する指導者（ドゥンス・スコトゥス、オッカム）然りである。しかしながら、イングランドでも教会の教説を個人主義的に改革する担い手が、いまだフランシスコ会であったことは、古いイタリアの運動とつながっていたことを示している。まさにこの故に、歴史理解を欠落させた後年の市民啓蒙派は、自分たち固有の世界観の土台が形成された先述の闘いを、フランシスコ会並びにドメニコ会による「坊主の口喧嘩」と見たのである。

3

私は見る、プラトンが夢想し、アリストテレスが思考するのを。
私は聴講し拍手をして、わが道を行く。
絶対の諸王の中に専制の神が見える。
人は今日、共和制の神について語る。
（ミュッセ『神を望む』一八三八年）

訳者あとがき

「序論」(水田)のオットー・バウアー(一八八一〜一九三八)紹介と若干重複するが、まずはその人物像を少し敷衍しておきたい。バウアーはオーストリア社会民主党所属の政治家であり、マックス・アードラー、カール・レンナー、ルードルフ・ヒルファディングらと並ぶオーストロ・マルクス主義者だった。一九〇七年、オーストリア帝国議会社会民主党議員団書記に就任するとともに、党機関紙『労働者新聞』の編集人(のひとり)となった。『民族問題と社会民主主義』(一九〇七年)を著して、民族＝文化共同体とするバウアーは、民族問題をめぐりK・カウツキー(民族＝言語共同体)、V・I・レーニン(民族＝将来は接近・融合・消滅する存在)と論争を行った。

第一次世界大戦では将校として応召し東部戦線に赴いた。一九一四年秋、ロシア軍の捕虜となり、シベリアの捕虜収容所でロシア革命を経験する。一九一七年に捕虜交換で帰国した。その後、カール・レンナーを含む当時の社会民主党指導部に反対する左派を結集した。一九一八年秋、ハープスブルク帝国が崩壊し、オーストリア共和国が樹立されたのち、レンナー内閣でヴィクトール・アードラーを継いで外務大臣に就任した。バウアーは果敢にオーストリア共和国とドイツ・ワイマール共和国との合邦を目指す。しかし、彼自身によるベルリンとの直接交渉にもかかわらず、ドイツは積極的な態度を見せず、さらに戦勝国の拒絶に直面して外相を辞任した（一九一九年七月）。

一九二〇年、社会民主党と保守のキリスト教社会党との連立政権が解消されたのち、バウアーは野党指導者として、一貫して政権との対決姿勢を保持した。国際的には社会主義・労働運動が改良主義とボリシェヴィズムとに分裂するのを回避しようとして、ウィーン・インターを設立した。独裁傾向を強めるドルフース政権に対して、一九三四年二月、社会民主党傘下の共和国防衛同盟が武装闘争を試みたが、失敗し、バウアーはチェコへ逃れた。一九三八年四月末、さらにパリに亡命。同年七月、客死した。机上には完成を見なかったファシズム論が残されていた。*

＊新しい批判的バウアー評伝として Ernst Hanisch, Der große Illusionist Otto Bauer (1881-1938), Wien-Köln-

Weimar 2011 を挙げておく。

バウアーの「資本主義の世界像」(以下「世界像」と略する)は一九一六年、シベリアの捕虜収容所において、大きな資料的制約の下で執筆された。そして一九二四年になって、カウツキーの七〇歳を祝う記念論文集に収載された。[*] この「世界像」は、バウアーの唯一とも言える哲学的著作である。「序論」(水田)が指摘するように、『封建的世界像から市民的世界像へ』(一九三四年)の著者フランツ・ボルケナウは、[A・M・デボーリン、G・ルカーチとならんで]オットー・バウアーの「世界像」から重要な示唆を受け取ったことに言及している。[**]

＊ Otto Jensen (Hrg.), Der lebendige Marxismus. Festgabe zum 70. Geburtstag von Karl Kautsky, Jena 1924, pp. 407-464.

＊＊邦訳 みすず書房 一九六五年、一六頁。

バウアーは先述の『民族問題と社会民主主義』(一九〇七年)の中で斬新な試みを行っていた。ハンス・モムゼンによれば、「彼はマックス・アードラーを通じた新カント派哲学の影響の下に、民族意識の持つ独自性を、その実在に基づいて評価すること realistische Einschätzung にたどり着いた。つまりバウアーは、もっぱら所与の経済的利害が一元的に民族意識を媒介するのではない、と考えた。彼は、もともと民族形成が経済的な決定諸要因にしたがって行われたとしても、民族意識が、現存の経済的利害諸状況を超越することを認めていた」*。

＊Hans Mommsen のＩＴＨ（リンツ労働運動史家国際会議、一九七五年）における発言。引用はＥ・Panzenböck, Ein deutscher Traum, Wien 1985, p. 26 より。

少し背景を説明しておこう。この時点のバウアーは、Ｋ・マルクスの言う、いわゆる「現実の土台と上部構造」関係について、前者による後者の一義的規定 monokausal という硬直的な理解（経済決定論）をしていなかったと思われる。一八五九年の『経済学批判』序言で、Ｋ・マルクスは比喩的に記していた。「……生産諸関係の総体は社会の経済的機構を形づくっており、これが現実の土台となって、そのうえに、法律的、政治的上部構造がそびえたち、また、一定の社会的意識諸形態は、この現実の土台に対応している。物質的生活の生産様式は、社会的、政治的、精神的生活諸過程一般を制約する」*。バウアーに哲学上大きな影響を及ぼしたＭ・アードラーは、この「土台」と「上部構造」を二元的に考えるのでなく、一体のものとして捉えていた。Ｍ・アードラーは、生産諸関係が人間の意識的行動の体系を表し、上部構造と同じく精神的である、同様に生産諸力も社会的過程の諸要素として、道具の生産者、使用者の人間意識を前提とすると主張して、土台・上部構造を一体に考えていた**。

＊武田隆夫ら訳、岩波文庫 一九五六年、一三頁。

＊＊この考えの簡潔なまとめは、例えば M. Adler, Die Beziehungen des Marxismus zur klassischen deutschen Philosophie (1922), in: N. Leser/A. Pfabigan (Hrsg.), Max Adler. Ausgewählte Schriften, Wien 1981, p. 504 にみられる。Cf. also Leszek Kołakowski, Main Currents of Marxism, Vol. II, Oxford 1978, p. 273.

バウアーもまた上記の理解に立ち、再びハンス・モムゼンの言葉を借りれば、「民族意識の成立には一連の諸要素、ただ歴史的にのみ解明可能な社会心理的諸要素が決定的であり、これらは階級諸関係から直接的に導出できるわけではない」と主張していた＊。

＊ Hans Mommsen, Arbeiterbewegung und Nationale Frage, Goettingen 1979, p. 77; O. Bauer, Bemerkungen zur Nationalitätenfrage, in: Die Neue Zeit, 1. Bd. (1908), wieder in: O. Bauer, Werkausgabe, Bd. 7, Wien 1979, pp. 939f.

それから九年後（一九一六年）の「世界像」でも、バウアーは「土台」・「上部構造」について同一の理解に立っていたものと思われる。少し長くなるが、この点に関してボルケナウの理解を引いてみよう。

マルクス主義理論の陣営内では、イデオロギーは社会的実在を「反映する」という、しばしば比喩的なマルクスの表現方法からして、精神史の把握について、はなはだうれうべき結論がひきだされている。一連のマルクス主義的歴史家たちは、このことばづかいから、多少とも体系的に、つぎのような結論をひきだしている。およそ体系というものは、この体系の諸要素と同時代の社会的諸要素とのあいだになにか類比関係があるときに、説明されるのだ、と。オットー・バウアーはこうした思想をその「資本主義の世界像」において、こんな方向に変えている。つまり近代哲学の創始者たちは、あるいは人間と労働生産物との関係、あるいは人間相互の関係からの類比によって精神と物質、自由と決定等の関係についての観念をつくりあげたのではあるまいか、と。*

＊邦訳『封建的世界像から市民的世界像へ』みすず書房 一九六五年、一五八〜九頁。

「土台」と「上部構造」の問題は、長年にわたりさまざまに議論され解釈されて来た。現在も経済決定論として批判される機械的解釈から重層的決定論（アルチュセール）まで幅があり、一義的な解が導出されているわけではない。バウアーは「類比」で、この議論に参入した。

人間が理解するのは、いつも自分だけである。自分の行為と労働経験に照らして、観察したものをすべて理解しようとする。したがって、生存の諸条件の変化とともに自然の諸表象も変わっていく。現代の資本主義を生起させた生存の諸条件が大きく変動することにより、その作用のもとで「諸表象が」どのように変容したか、これこそ、我々がここで記述しようと考えるものである。

観念の変容は、資本主義の生成と発展にしたがって生まれるものであるが、それを認識することは、資本主義の発展そのものを理解する助けにもなろう（本訳書一四頁）。

バウアーは、M・アードラーにならい、「土台」と「上部構造」を二元的に考えるのではなく、資本主義の変容と観念世界の変容をパラレルに捉えていた。* 二つの変容を見事に活写した、新古典とでも言うべき一〇〇年前のバウアーの「資本主義の世界像」を薦める。

＊バウアーは自己の新カント派克服を、『民族問題と社会民主主義』の第二版序文（一九二四年）で、言明する［丸山ら訳　御茶の水書房二〇〇一年、六頁］が、これ以降のバウアーの検討は別途の課題となる。

謝辞

本訳は、はじめ未来社の冊子『未来』二〇一三年二月号、三月号、四月号に分載された。掲載の未来社に改めて感謝申し上げる。また、半世紀近く前に「資本主義の世界像」を訳すように示唆され、『未来』掲載時に「序言」もお寄せくださった恩師水田洋先生に、こころより御礼を申し上げる。不肖の学生だった訳者としては、長年の宿題がやっと終わった気持である。この宿題を手伝ってくださった成文社の南里功氏に深く感謝申し上げる。

マ行

ラ行

サ行

タ行

ナ行

ハ行

人名索引

「序論として」執筆者紹介

水田　洋（みずた・ひろし）

名古屋大学名誉教授、日本学士院会員
社会思想史　経済思想史
1919年、東京に生まれる。1941年、東京商科大学卒業。
著書『近代人の形成』（東京大学出版会、1954年）、『アダム・スミス研究』（未来社、1968年）、『新稿　社会思想小史』（ミネルヴァ書房、2006年）、『アダム・スミス論集』（ミネルヴァ書房、2009年）等多数。

訳者紹介

青山孝徳（あおやま・たかのり）

1949年、愛知県に生まれる。1980年、名古屋大学大学院経済学研究科博士課程を単位取得により退学。名古屋大学経済学部助手を経て、1983年より企業勤務、2014年よりフリー。
オットー・バウアー、カール・レンナーに関する論文の他、訳書A・フックス『世紀末オーストリア』（昭和堂、2019年）、S・ナスコ『カール・レンナー　その蹉跌と再生』（成文社、2019年）等。

資本主義の世界像

2020年9月16日　初版第1刷発行

訳　者　青山孝徳
装幀者　山田英春
発行者　南里　功

発行所　成　文　社
〒258-0026 神奈川県開成町延沢580-1-101
電話 0465 (87) 5571
振替 00110-5-363630
http://www.seibunsha.net/

落丁・乱丁はお取替えします

組版　編集工房 dos.
印刷・製本　シナノ

Printed in Japan
ISBN978-4-86520-052-2 C0022

歴史

カール・レンナー入門

アントーン・ペリンカ著　青山孝徳訳

四六判上製　176頁　1800円　978-4-86520-050-8

オーストリアの「国父」は死後70年の現在も評価と批判が交錯する人物である。オーストリアの抱える「あいまいさ」——ナチから解放された国であるとともに、ナチとともに犯した加害を忘れた国——を作り出したのはレンナーではないか、と著者は鋭く迫る。　2020

歴史

カール・レンナー
その蹉跌と再生

ジークフリート・ナスコ著　青山孝徳訳

A5判上製　400頁　5000円　978-4-86520-033-1

二つの世界大戦後の混乱の中で二度の共和国樹立者、つねに調和を重んじ、構想力に富み、前向きで思いやりのある政治家。すでにコンパクトながら包括的な伝記のある著者が、本書でより詳細にレンナー八十年の実像に迫る。粘り強くオーストリアを率いた「国父」の肖像。　2019

歴史

カール・レンナー
1870—1950

ジークフリート・ナスコ著　青山孝徳訳

四六判上製　208頁　2000円　978-4-86520-013-3

オーストリア＝ハンガリー帝国に生まれ、両大戦間には労働運動、政治の場で生き、そして大戦後のオーストリアを国父として率いたレンナー。本書は、その八十年にわたる生涯を、その時々に国家が直面した問題と、それに対するかれの対応とに言及しながら記述していく。　2015

歴史

オーストリアの歴史

R・リケット著　青山孝徳訳

四六判並製　208頁　1942円　978-4-915730-12-2

中欧の核であり、それゆえに幾多の民族の葛藤、類のない統治を経てきたオーストリア。そのケルト人たちが居住した古代から、ハプスブルク帝国の勃興、繁栄、終焉、そして一次、二次共和国を経て現代までを描いた、今まで日本に類書がなかった通史。　1995

歴史・思想

ロシア社会思想史 上巻
インテリゲンツィヤによる個人主義のための闘い

イヴァーノフ＝ラズームニク著　佐野努・佐野洋子訳

A5判上製　616頁　7400円　978-4-915730-97-9

ロシア社会思想史はインテリゲンツィヤによる人格と人間の解放運動史である。ラヂーシェフ、デカブリストから、西欧主義とスラヴ主義を総合してロシア社会主義を創始するゲルツェンを経て、革命的民主主義者チェルヌイシェフスキーへとその旗は受け継がれていく。　2013

歴史・思想

ロシア社会思想史 下巻
インテリゲンツィヤによる個人主義のための闘い

イヴァーノフ＝ラズームニク著　佐野努・佐野洋子訳

A5判上製　584頁　7000円　978-4-915730-98-6

人間人格の解放をめざす個人主義のための闘い。倫理的個人主義を高唱したトルストイとドストエフスキー、社会学的個人主義を論証したミハイローフスキー。「大なる社会性」と「絶対なる個人主義」の結合というロシア社会主義の尊い遺訓は次世代の者へと託される。　2013

価格は全て本体価格です。